鋼の錬金術師

FULLMETAL ALCHEMIST

1

荒川弘《あらかわひろむ》

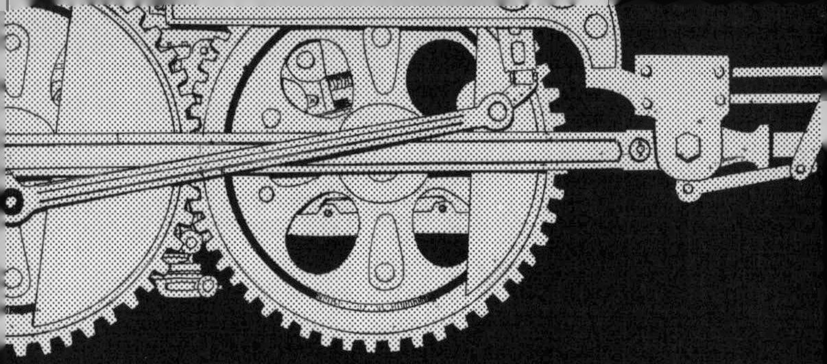

CONTENTS

…
…ル！
アル！アルフォンス!!
くそ！こんな事《こと》があってたまるか！
こんな…こんなはずじゃ…
…畜生《ちくしょ》ォ
痛《いた》みを伴《ともな》わない教訓《きょうくん》には意義《いぎ》がない
持《も》って行《い》かれた……!!
人《ひと》は何《なに》かの犠牲《ぎせい》なしに何《なに》も得《え》る事《こと》などできないのだから

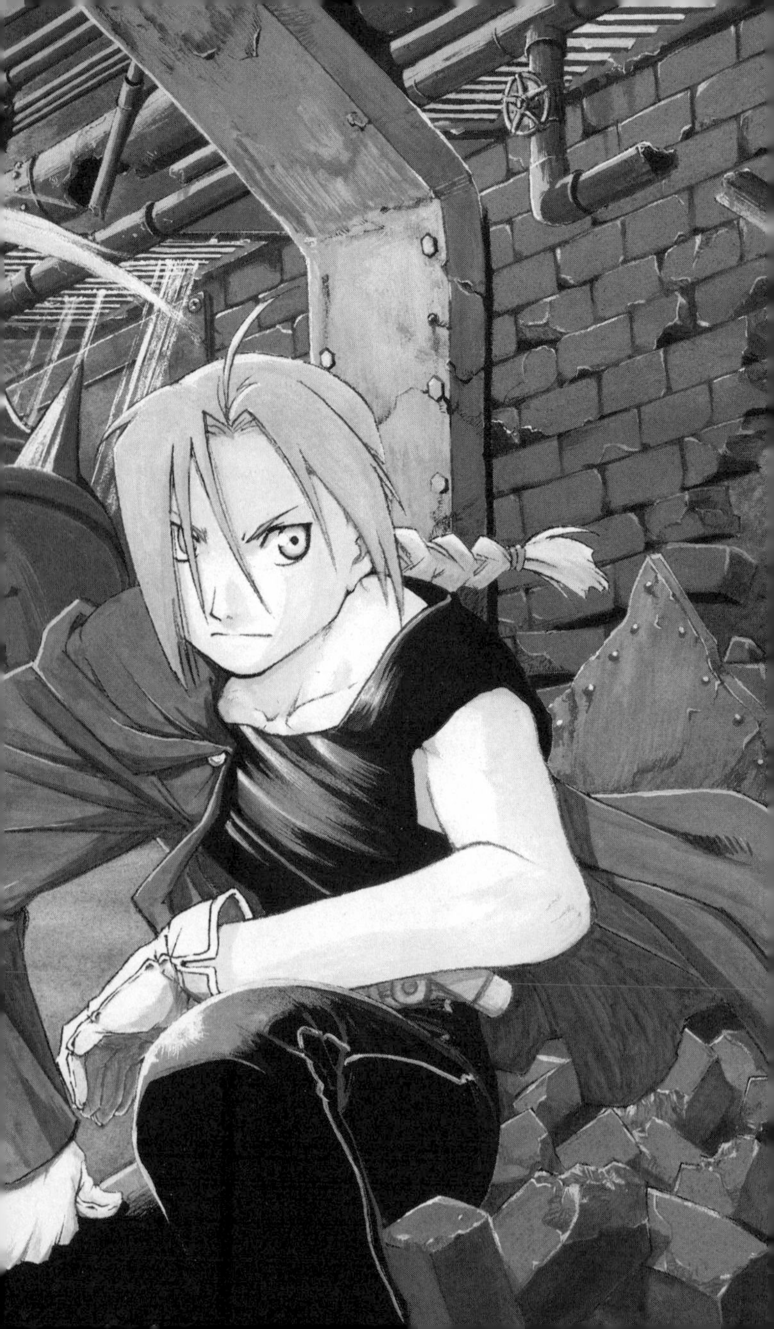

第《だい》1話《わ》

二人《ふたり》の錬《れん》金《きん》術《じゅつ》師《し》

FULLMETAL
ALCHEMIST

この地上《ちじょう》に生《い》ける神《かみ》の子《こ》らよ 祈《いの》り信《しん》じよ されば救《すく》われん
太陽《たいよう》の神《かみ》レトは汝《なんじ》らの足元《あしもと》を照《て》らす
見《み》よ 主《しゅ》はその御座《みざ》から降《ふ》って来《こ》られ汝《なんじ》らをその諸々《もろもろ》の罪《つみ》から救《すく》う
KAMI-NAREE
5656

私《わたし》は太陽神《たいようしん》の代理人《だいりにん》にして汝《なんじ》らが父《ちち》
……ラジオで宗教放送《しゅうきょうほうそう》？
神《かみ》の代理人《だいりにん》…って
なんだこりゃ？
いや 俺《おれ》にとっちゃ あんたらの方《ほう》が「なんだこりゃ」なんだが…
あんたら大道芸人《だいどうげいにん》かなんかかい？
ごぶばっ

FOOD
あのな おっちゃん オレ達《たち》のどこが 大道芸人《だいどうげいにん》に 見《み》えるってんだよ!
いや どう見《み》ても そうとしか…
ヨロイ!!
すげー
でけー
ここいらじゃ 見《み》ない顔《かお》だな 旅行《りょこう》?
うん ちょっと さがし物《もの》をね
ところで この放送《ほうそう》 なに?
コーネロ様《さま》を 知《し》らんのかい?
…誰《だれ》?
コーネロ教主様《きょうしゅさま》さ 太陽神《たいようしん》レトの 代理人《だいりにん》!
「奇跡《きせき》の業《わざ》」の レト教《きょう》 教主様《きょうしゅさま》だ
数年前《すうねんまえ》に この街《まち》に現《あらわ》れて 俺達《おれたち》に神《かみ》の道《みち》を 説《と》いてくださった すばらしい方《かた》さ!
そりゃもう すごいのなんの
ありゃ 本当《ほんとう》に奇跡《きせき》! 神《かみ》の御業《みわざ》さね!

…って聴《き》いてねぇなボウズ
ぐでー
うん。宗教《しゅうきょう》興味《きょうみ》ないし。
ごちそーさんんじゃ行くか
うん
ブモっ
あーーー!!!
ぽと
あ
ちょっとお!!困《こま》るなお客《きゃく》さん
だいたいそんなカッコで歩《ある》いてるから…
悪《わり》ィ悪《わり》ィすぐ直《なお》すから
あーあラジオおじゃん
「直《なお》すから」って…
まあ見《み》てなって
かきかき

――よし！
そんじゃ
いきまーす
？
うわあ!?
な…

シュウウウウ
これでいいかな?
……こりゃおどろいた
あんた「奇跡《きせき》の業《わざ》」がつかえるのかい!?
なんだそりゃ
ボク達《たち》錬金術師《れんきんじゅつし》ですよ
エルリック兄弟《きょうだい》って言《い》やぁけっこう名《な》が通《とお》ってるんだけどね
エルリック…エルリック兄弟《きょうだい》だと?
ああ聞《き》いたことあるぞ!
ざわっ
兄《あに》の方《ほう》がたしか国家錬金術師《こっかれんきんじゅつし》の……

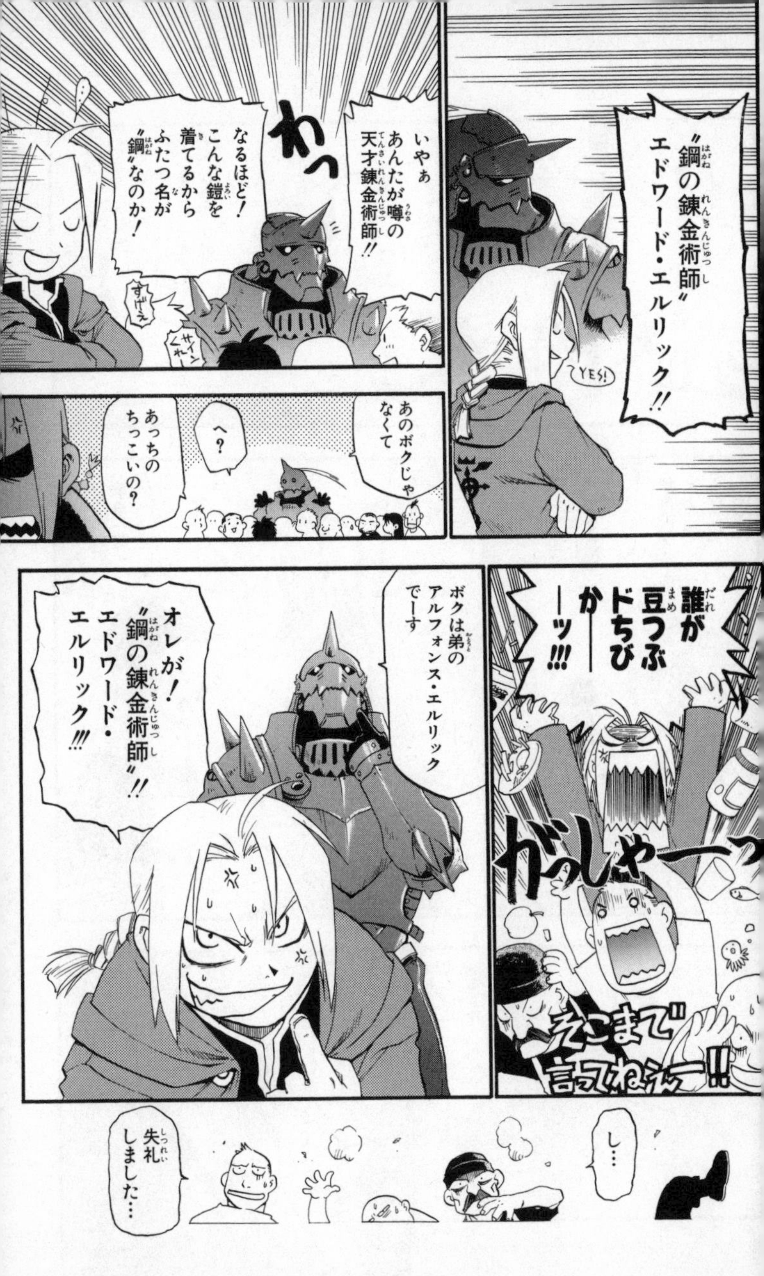

“鋼《はがね》の錬金術師《れんきんじゅつし》” エドワード・エルリック!!
YES!
いやぁ あんたが噂《うわさ》の 天才錬金術師《てんさいれんきんじゅつし》!!
わっ
なるほど! こんな鎧《よろい》を 着《き》てるから ふたつ名《な》が “鋼《はがね》”なのか!
すげぇ
サインくれー
あのボクじゃ なくて
へ?
あっちの ちっこいの?
誰《だれ》が 豆《まめ》つぶ ドちび か―――ッ!!!
がっしゃーーっ
そこまで 言ってねえ―!!
ボクは弟《おとうと》の アルフォンス・エルリック でーす
オレが! “鋼《はがね》の錬金術師《れんきんじゅつし》”!! エドワード・ エルリック!!!
し…
失礼《しつれい》 しました…

こんにちは おじさん
あら 今日《きょう》はなんだか にぎやかね
おっ いらっしゃい ロゼ
今日《きょう》も 教会《きょうかい》に？
ええ お供《そな》えものを
いつものおねがい
あら 見慣《みな》れない 方《かた》が…
錬金術師《れんきんじゅつし》さん だとよ さがし物《もの》 してるそうだ
ども
さがし物《もの》 見《み》つかると いいですね
レト神《しん》の 御加護《ごかご》が ありますように！
ロゼも すっかり 明《あか》るくなったなぁ
ああ これも 教主様《きょうしゅさま》の おかげだ

へぇ?
あの子《こ》ね 身寄《みよ》りもない 一人者《ひとりもの》の上《うえ》に 去年恋人《きょねんこいびと》まで 事故《じこ》で 亡《な》くしちまって さ…
あん時《とき》の 落《お》ち込《こ》み様《よう》といったら かわいそうで 見《み》てられなかったよ
そこを救《すく》ったのが 創造主《そうぞうしゅ》たる 太陽神《たいようしん》レトの 代理人《だいりにん》 コーネロ教主《きょうしゅ》の 教《おし》えだ!
生《い》きる者《もの》には 不滅《ふめつ》の魂《たましい》を 死《し》せる者《もの》には復活《ふっかつ》を 与《あた》えてくださる
その証拠《しょうこ》が 「奇跡《きせき》の業《わざ》」さ
お兄《にい》さんも一回《いっかい》 見《み》に行《い》くといいよ! ありやまさに 神《かみ》の力《ちから》だね!
「死《し》せる者《もの》に 復活《ふっかつ》を」ねぇ…
うさん 臭《くせ》ェな
祈《いの》り 信《しん》じよ
さすれば 汝《なんじ》が願《ねが》い 成就《じょうじゅ》せり

すべての子《こ》らに光《ひかり》の恩寵《おんちょう》があらんことを…
カチ。
OFF
おつかれ様《さま》です教主様《きょうしゅさま》
教主様《きょうしゅさま》本日《ほんじつ》もありがたいお言葉《ことば》感謝《かんしゃ》いたします
教主様《きょうしゅさま》！
おおロゼかいつも感心《かんしん》だねえらいぞ
いえ当然《とうぜん》のことです
それであの…
いつになったら…
ああ君《きみ》の言《い》いたい事《こと》はよくわかっているよ神《かみ》は君《きみ》の善行《ぜんこう》をよく見《み》ておられるからね
それじゃあ…

だがなロゼ
今《いま》はまだ
その時期《じき》ではない
わかるね？
ん？
……そう
そう…
ですよね…
まだ…
そう
いい子《こ》だね
ロゼ

あら たしかさっきの…
レト教《きょう》に 興味《きょうみ》が おありで？
いや あいにくと 無宗教《むしゅうきょう》でね
いけませんよ そんな！ 神《かみ》を信《しん》じうやまう事《こと》で 日々《ひび》感謝《かんしゃ》と 希望《きぼう》に生《い》きる… なんとすばらしい 事《こと》でしょう！
信《しん》じればきっと あなたの身長《しんちょう》も 伸《の》びます！
力説
んだとコラ
どうどう
悪気はないんだから。
…ったく よくそんなに 真正直《ましょうじき》に 信《しん》じられる もんだな
神《かみ》に祈《いの》れば 死《し》んだ者《もの》も 生《い》き返《かえ》る…かい？

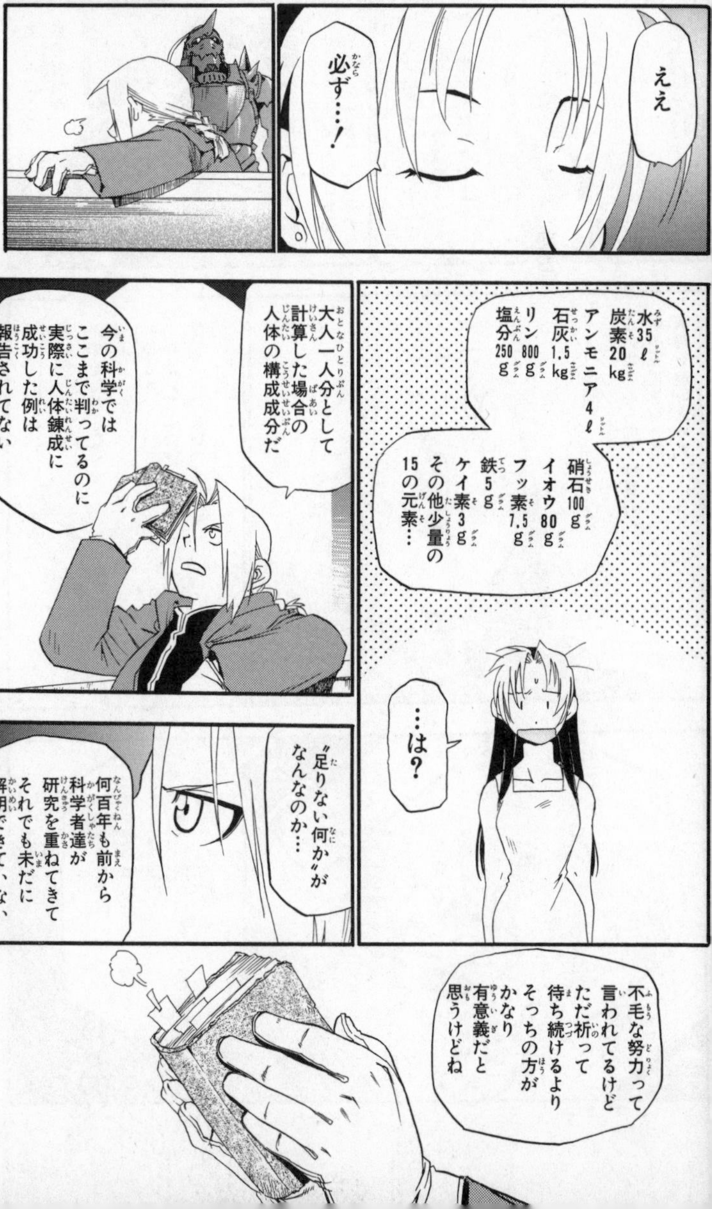
ええ
必《かなら》ず…!
水《みず》35ℓ《リットル》 炭素《たんそ》20kg《キログラム》 アンモニア4ℓ《リットル》 石灰《せっかい》1.5kg《キログラム》 リン800g《グラム》 塩分《えんぶん》250g《グラム》
硝石《しょうせき》100g《グラム》 イオウ80g《グラム》 フッ素《そ》7.5g《グラム》 鉄《てつ》5g《グラム》 ケイ素《そ》3g《グラム》 その他少量《たしょうりょう》の15の元素《げんそ》…
…は?
大人一人分《おとなひとりぶん》として計算《けいさん》した場合《ばあい》の人体《じんたい》の構成成分《こうせいせいぶん》だ
今《いま》の科学《かがく》ではここまで判《わか》ってるのに実際《じっさい》に人体錬成《じんたいれんせい》に成功《せいこう》した例《れい》は報告《ほうこく》されてない
〝足《た》りない何《なに》か〟がなんなのか…
何百年《なんびゃくねん》も前《まえ》から科学者達《かがくしゃたち》が研究《けんきゅう》を重《かさ》ねてきてそれでも未《いま》だに解明《かいめい》できていない
不毛《ふもう》な努力《どりょく》って言《い》われてるけどただ祈《いの》って待《ま》ち続《つづ》けるよりそっちの方《ほう》がかなり有意義《ゆういぎ》だと思《おも》うけどね

ちなみにこの成分材料《せいぶんざいりょう》な
市場《いちば》に行けば子供《こども》の小遣《こづか》いでも全部《ぜんぶ》買《か》えちまうぞ
人間《にんげん》てのはお安《やす》くできてんのな
！
人《ひと》は物《もの》じゃありません！創造主《そうぞうしゅ》への冒瀆《ぼうとく》です！天罰《てんばつ》がくだりますよ!!
あっはっは！
錬金術師《れんきんじゅつし》ってのは科学者《かがくしゃ》だからな創造主《そうぞうしゅ》とか神様《かみさま》とかあいまいなものは信《しん》じちゃいないのさ
むっ
この世《よ》のあらゆる物質《ぶっしつ》の創造原理《そうぞうげんり》を解《と》き明《あ》かし真理《しんり》を追《お》い求《もと》める…
神様《かみさま》を信《しん》じないオレ達《たち》科学者《かがくしゃ》がある意味《いみ》神《かみ》に一番近《いちばんちか》い所《ところ》にいるってのは皮肉《ひにく》なもんだ

高慢《こうまん》ですね
ご自分《じぶん》が神《かみ》と同列《どうれつ》とでも？
——そういやどっかの神話《しんわ》にあったっけな
「太陽《カミサマ》に近《ちか》づきすぎた英雄《えいゆう》は蠟《ろう》で固《かた》めた翼《つばさ》をもがれ地《ち》に墜《お》とされる」…ってな
？

ワッ
教主様《きょうしゅさま》！
奇跡の業を!!
教主様ー。
ボッ
シュウウウウ

ワァッ
…どう思《おも》う？
どうもこうも
あの変成反応《へんせいはんのう》は
錬金術《れんきんじゅつ》でしょ
だよなぁ…
それにしては
法則《ほうそく》が…
あ
お二人《ふたり》とも
来《き》てらしたの
ですね
どうです！
まさに奇跡《きせき》の力《ちから》でしょう
コーネロ様《さま》は
太陽神《たいようしん》の御子《みこ》です！
いや
ありゃー
どう見《み》ても
錬金術《れんきんじゅつ》だよ
コーネロってのは
ペテン野郎《やろう》だ
ムカ
でも
法則無視《ほうそくむし》
してんだよねぇ
う──ん
それだよな
法則《ほうそく》？

一般人《いっぱんじん》が見《み》たら 錬金術《れんきんじゅつ》ってのは 無制限《むせいげん》に なんでも出《だ》せる 便利《べんり》な術《じゅつ》だと 思《おも》われてるけどね
実際《じっさい》には きちんと 法則《ほうそく》があって——
大雑把《おおざっぱ》に言《い》えば 質量保存《しつりょうほぞん》の法則《ほうそく》と 自然摂理《しぜんせつり》の法則《ほうそく》かな
?
?
?
ぐーる ぐーる
えーとね
質量《しつりょう》が一《いち》の物《もの》からは 同《おな》じく一《いち》の物《もの》しか 水《みず》の性質《せいしつ》の物《もの》からは 同《おな》じく水属性《みずぞくせい》の物《もの》しか 錬成《れんせい》できないってこと
術師《じゅつし》の中《なか》には 四大元素《よんだいげんそ》や 三原質《さんげんしつ》を引《ひ》き合《あ》いに 出《だ》す人《ひと》もいるけど…
つまり 錬金術《れんきんじゅつ》の基本《きほん》は 「等価交換《とうかこうかん》」!!
何《なに》かを 得《え》ようとするなら それと同等《どうとう》の代価《だいか》が 必要《ひつよう》って事《こと》だ
その法則《ほうそく》を 無視《むし》して あのおっさんは 錬成《れんせい》しちまってんだ
だからいいかげん 奇跡《きせき》の業《わざ》を 信《しん》じたら どうですか お二人《ふたり》とも!
兄《にい》さん ひょっとして
ああ ひょっとすると…

ビンゴだぜ!
おねぇさん ボク この宗教《しゅうきょう》に興味《きょうみ》持《も》っちゃったなぁ!
ぜひ教主様《きょうしゅさま》とお話《はな》したいんだけど案内《あんない》してくれるぅ?
くる
まあ♡ やっと信《しん》じてくれたのですね!
カラーン
カラーン
教主《きょうしゅ》 面会《めんかい》を求《もと》める者《もの》が来《き》ております

子供《こども》と鎧《よろい》を着《き》た二人組《ふたりぐみ》でエルリック兄弟《きょうだい》と名乗《なの》ってますが…
なんだそれは私《わたし》は忙《いそが》しい帰《かえ》ってもらえ
！
いや待《ま》てエルリック兄弟《きょうだい》だと？
エドワード・エルリックか!?
はぁたしか子供《こども》の方《ほう》がそう名乗《なの》ってましたな…お知《し》り合《あ》いで？
〜〜〜ッまずい事《こと》になった！
“鋼《はがね》の錬金術師《れんきんじゅつし》”エドワード・エルリックだ！
!!
なっ…
こんなちっこいガキでしたよ!?冗談《じょうだん》でしょう!?
バカ者《もの》！錬金術《れんきんじゅつ》は年齢《ねんれい》がどうこういうものではない！
国家錬金術師《こっかれんきんじゅつし》の称号《しょうごう》を得《え》たのが12歳《さい》の時《とき》だと聞《き》いてはいたが…
そうか…本当《ほんとう》に噂通《うわさどお》り子供《ガキ》だったか…

その国家錬金術師《こっかれんきんじゅつし》がなぜここに!?
まさか我々《われわれ》の計画《けいかく》が…
軍《ぐん》の狗《いぬ》めはよほど鼻《はな》が良《よ》いとみえる
追《お》い返《かえ》しますか?
いや それではかえってあやしまれよう 追《お》い返《かえ》したところでまた来《く》るだろうしな
…奴《やつ》らはここには来《こ》なかった
——というのはどうか?
!
神《かみ》の御《み》心《こころ》のままに…
ニヤリ
さあ どうぞこちらへ

教主様《きょうしゅさま》は 忙《いそが》しい身《み》で なかなか時間《じかん》が とれないのですが あなた方《がた》は運《うん》がいい
バタン
わるいね なるべく 長話《ながばなし》しないように するからさ
ええ すぐ終《お》わらせて しまいましょう
このように！
！
ゴリッ

ガッ
ゴン
ドオッ

ガッ
！
師兄《しけい》！何《なに》をなさるのですか!!
ロゼ この者達《ものたち》は教主様《きょうしゅさま》を陥《おとしい》れようとする異教徒《いきょうと》だ 悪《あく》なのだよ
そんな！だからと言《い》ってこんな事《こと》を教主様《きょうしゅさま》がお許《ゆる》しになるはず…
教主様《きょうしゅさま》がお許《ゆる》しになられたのだ！
教主様《きょうしゅさま》の御言葉《おことば》は我《われ》らが神《かみ》の御言葉《おことば》…
これは神《かみ》の意志《いし》だ!!
ズチャ
へ――

ひどい神《かみ》もいたもんだ
グッ
んな……
スッ
ザッ

うわわわ
わわ!!
がいん
げふ!!
っしゃ!!
ストライク!
ボクの頭《あたま》!
どどど
どうなって…
どうも
こうも
こういう
事《こと》で
カン
カン

なっ…
中身《なかみ》が
無《な》い…
空《から》っぽ…!?
これはね
ガチ
人《ひと》として侵《おか》してはならない神《かみ》の聖域《せいいき》とやらに踏《ふ》み込《こ》んだ罪《つみ》とかいうやつさ
ボクも兄《にい》さんもね
エドワード…も?
ま その話《はなし》はおいといて
ばり ばり
神様《かみさま》の正体《しょうたい》見《み》たりだな
そんな! 何《なに》かのまちがいよ!!
あーもー このねぇちゃんはここまでされてまだペテン教主《きょうしゅ》を信《しん》じるかね

ロゼ 真実《しんじつ》を見《み》る勇気《ゆうき》はあるかい？
ロゼの言《い》ってた教主《きょうしゅ》の部屋《へや》ってのはこれか？
さて…
ギ…

ギィイ……
へっ
「いらっしゃい」だとさ
ギ…
バタン
神聖《しんせい》なる
我《わ》が教会《きょうかい》へ
ようこそ
教義《きょうぎ》を受《う》けに
来《き》たのかね？
ん？
ああ
ぜひとも
教《おし》えて
ほしいもんだ

せこい錬金術《れんきんじゅつ》で信者《しんじゃ》をだます方法《ほうほう》とかね！
……さてなんの事《こと》やら
私《わたし》の「奇跡《きせき》の業《わざ》」を錬金術《れんきんじゅつ》と一緒《いっしょ》にされては困《こま》るね
一度《いちど》見《み》てもらえばわかるが…
見《み》せてもらったよ
で　どうにも腑《ふ》におちないのが法則《ほうそく》を無視《むし》した錬成《れんせい》がどういう訳《わけ》か成《な》されちゃってるって事《こと》なんだよね
だから錬金術《れんきんじゅつ》ではないと…
そこで思《おも》ったんだけど
〝賢者の石〟
使《つか》ってんだろ？
ぴく
たとえばその指輪《ゆびわ》がそうだったりして？

ぴぴく
ふ…… 流石《さすが》は 国家錬金術師《こっかれんきんじゅつし》
すべて お見通《みとお》しと いう訳《わけ》か
ご名答《めいとう》!
伝説《でんせつ》の中《なか》だけの代物《しろもの》 とさえよばれる 幻《まぼろし》の術法増幅器《じゅつほうぞうふくき》…
我々錬金術師《われわれれんきんじゅつし》が これを使《つか》えば わずかな代価《だいか》で 莫大《ばくだい》な錬成《れんせい》を行《おこな》える!!
……さがしたぜェ……!!

ふん! なんだその もの欲《ほ》しそうな 目《め》は!?
この石《いし》を使《つか》って 何《なに》を望《のぞ》む? 金《かね》か? 栄誉《えいよ》か?
あんたこそ ペテンで教祖《きょうそ》に おさまって 何《なに》を望《のぞ》む?
金《かね》なら その石《いし》を使《つか》えば いくらでも 手《て》に入《はい》るだろ
金《かね》では ないのだよ
いや 金《かね》は欲《ほ》しいが それは だまっていても 私《わたし》のフトコロに 入《はい》って来《く》る… 信者《しんじゃ》の寄付《きふ》 という形《かたち》でな
むしろ 私《わたし》のためなら 喜《よろこ》んで命《いのち》も 捨《す》てようという 柔順《じゅうじゅん》な信者《しんじゃ》こそが 必要《ひつよう》だ
すばらしいぞぉ!! 死《し》をも恐《おそ》れぬ 最強《さいきょう》の軍団《ぐんだん》だ!!!
準備《じゅんび》は着々《ちゃくちゃく》と 進《すす》みつつある!
見《み》ているがいい! あと数年《すうねん》の後《のち》に 私《わたし》はこの国《くに》を 切《き》り取《と》りにかかるぞ!!
はははははははは

いや そんな事《こと》は どーでもいい
ぺいっ
どうッ!!?
我《わ》が野望《やぼう》を「どーでもいい」の一言《ひとこと》で片付《かたづ》けるなぁ!!
きさま 国側《くにがわ》の…軍《ぐん》の人間《にんげん》だろが!!
いやー ぶっちゃけて言《い》うとさ 国《くに》とか軍《ぐん》とか知《し》ったこっちゃーないんだよねオレ
単刀直入《たんとうちょくにゅう》に言《い》う! 賢者《けんじゃ》の石《いし》をよこしな!
そうすれば街《まち》の人間《にんげん》にゃあんたのペテンはだまっといてやるよ
はっ!! この私《わたし》に交換条件《こうかんじょうけん》とは…
きさまの様《よう》なよそ者《もの》の話《はなし》など信者《しんじゃ》どもが信《しん》じるものか!
奴《やつ》らはこの私《わたし》に心酔《しんすい》しておる! 忠実《ちゅうじつ》な僕《しもべ》だ!
きさまがいくら騒《さわ》ぎたてても奴《やつ》らは耳《みみ》もかさん!!
そうさ! 馬鹿《ばか》信者《しんじゃ》どもはこの私《わたし》にだまされきっておるのだからなぁ!!
うはははははは

いや――
さすが教主様《きょうしゅさま》！
パチ パチ パチ
いい話《はなし》聴《き》かせてもらったわ
たしかに信者《しんじゃ》はオレの言葉《ことば》にゃ耳《みみ》もかさないだろう
バチン
けど！
ガシャ！
彼女《かのじょ》の言葉《ことば》にはどうだろうね
ロゼ!?
!?
いったい何《なに》がどういう……

おっと
教主様《きょうしゅさま》!! 今《いま》おっしゃった事《こと》は 本当《ほんとう》ですか!?
私達《わたしたち》をだまして いらっしゃったのですか!?
奇跡《きせき》の業《わざ》は… 神《かみ》の力《ちから》は 私《わたし》の願《ねが》いを かなえては くれないのですか!?
あの人《ひと》を 甦《よみがえ》らせては くれないのですか!?
ふ… たしかに 神《かみ》の代理人《だいりにん》と いうのは嘘《うそ》だ…

だがな この石《いし》があれば 今《いま》まで数多《あまた》の 錬金術師《れんきんじゅつし》が 挑《いど》み失敗《しっぱい》してきた 生体《せいたい》の錬成《れんせい》も…
おまえの恋人《こいびと》を 甦《よみがえ》らせる事《こと》も 可能《かのう》かも しれんぞ!!
ロゼ 聞《き》いちゃ ダメだ!
ロゼ いい子《こ》だから こちらに おいで
行《い》ったら 戻《もど》れなく なるぞ!
さぁどうした? おまえは 教団側《こちらがわ》の 人間《にんげん》だ
ロゼ!
おまえの願《ねが》いを かなえられるのは 私《わたし》だけだ そうだろう?
最愛《さいあい》の恋人《こいびと》を 思《おも》い出《だ》せ
さあ!!

二人《ふたり》ともごめんなさい
それでも私《わたし》にはこれしか…
これにすがるしかないのよ
いい子《こ》だ…本当《ほんとう》に…

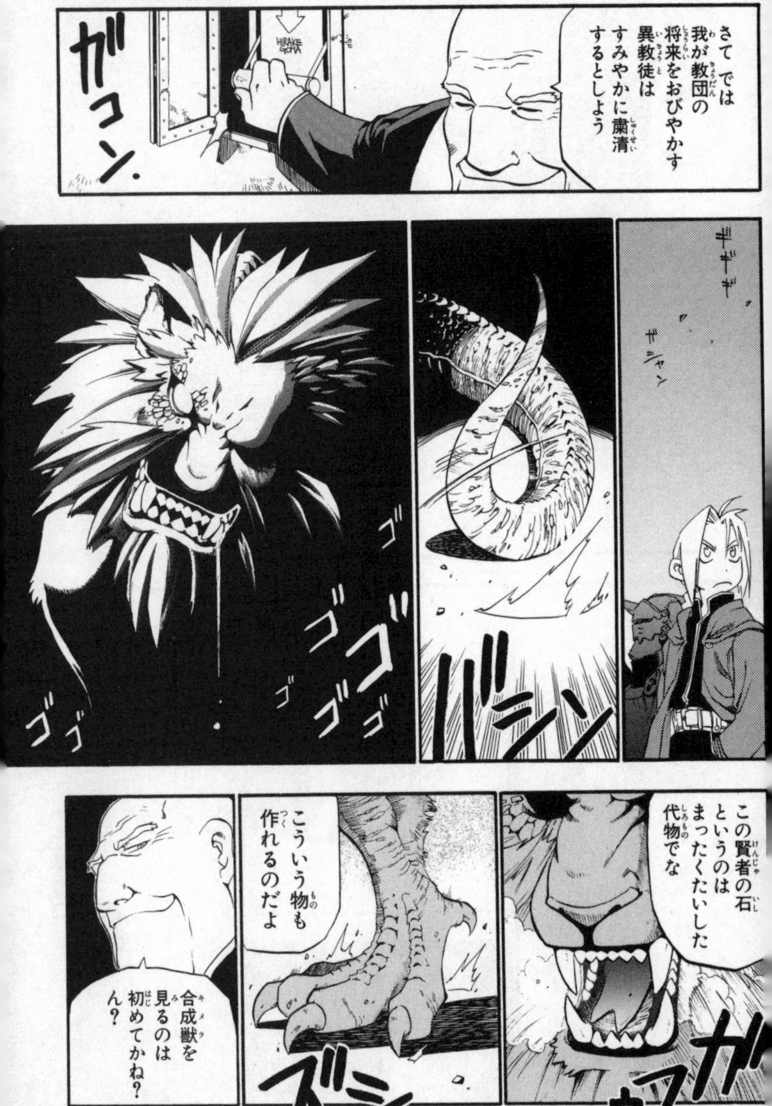
さて では
我《わ》が教団《きょうだん》の
将来《しょうらい》をおびやかす
異教徒《いきょうと》は
すみやかに粛清《しゅくせい》
するとしよう
HIRAKE GOMA
ガコン
ギギギ
ガシャン
ドシン
ゴゴゴゴ
ゴゴ
この賢者《けんじゃ》の石《いし》
というのは
まったくたいした
代物《しろもの》でな
ガァウ
こういう物《もの》も
作《つく》れるのだよ
ズシン
合成獣《キメラ》を
見《み》るのは
初《はじ》めてかね?
ん?

ぐおるるるるるる
ヒュー
こりゃあ丸腰《まるごし》でじゃれあうにはちとキツそうだな
と
パン!
ぺた
?

ぶあ
!?
ズラァ
アァァ
パキ
ペキ
ペキ
うぬ！
錬成陣《れんせいじん》も無《な》しに
敷石《しきいし》から武器《ぶき》を
錬成《れんせい》するとは…
国家錬金術師《こっかれんきんじゅつし》の
名《な》は伊達《だて》では
ないという事《こと》か!!
だが甘《あま》い!!

メキッ
ぐ…
ビビッ
うははは!! どうだ!! 鉄《てつ》をも切断《せつだん》する爪《つめ》の味《あじ》は!?
エドワード!!
…なんちって!

ベキ
!!?
ド
ギャリ!!
ゴッ
あいにくと特別製《とくべつせい》でね
……ッ!!? どうした!! 爪《つめ》が立《た》たぬなら 噛《か》み殺《ころ》せ!!

グゥオオオオオッ
ガリッ
ゴウウ
ウウ
ギリギリギリ
ぎ
ぎ
ぎ
ギャウッ
ウ…
ぎぎ
ウ…
!?
ガフッ…
ウウウ
ギギギギ

どうした
ネコ野郎《やろう》
しっかり
味《あじ》わえよ
ギ
ギギギ
ガブッ
ロゼ
よく見《み》ておけ

これが人体錬成《じんたいれんせい》を…
神様《かみさま》とやらの領域《りょういき》を侵《おか》した咎人《とがびと》の姿《すがた》だ!!

ぎりッ
……
鋼《はがね》の義肢《ぎし》
“機械鎧《オートメイル》”…
ビッ
ああ
そうか……

鋼《はがね》の錬《れん》金《きん》術《じゅつ》師《し》!!

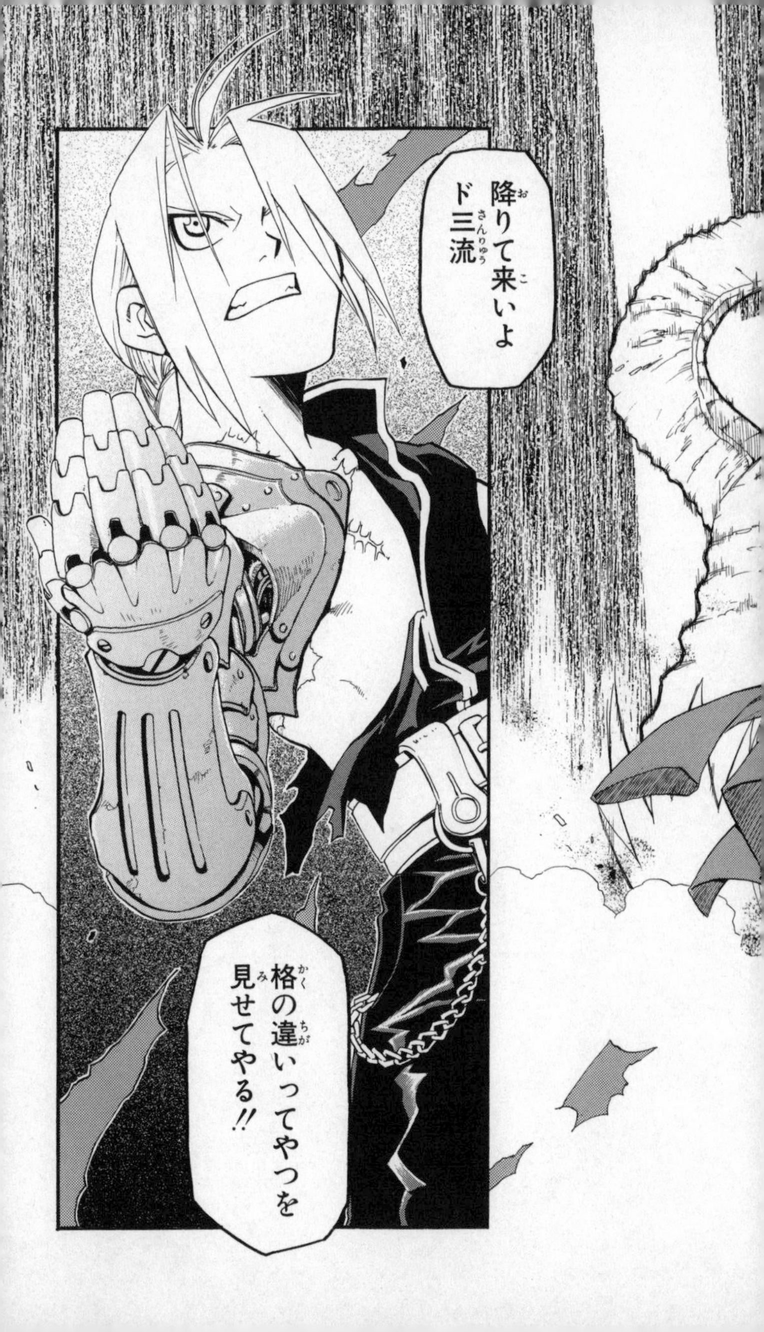
降《お》りて来《こ》いよ
ド三流《さんりゆう》
格《かく》の違《ちが》いってやつを
見《み》せてやる!!

FULLMETAL
ALCHEMIST

…なるほど
そうか 貴様《きさま》…
なぜ こんなガキが “鋼《はがね》”なんぞという 厳《いかつ》い称号《しょうごう》を 掲《かか》げているのか 不思議《ふしぎ》で ならなかったが…
ガシャ
そういう 訳《わけ》か…
ロゼ この者達《ものたち》はな 錬金術師《れんきんじゅつし》の間《あいだ》では 暗黙《あんもく》のうちに 禁《きん》じられている 「人体錬成《じんたいれんせい》」を…

最《さい》大《だい》の禁《きん》忌《き》を犯《おか》しおったのよ!!

第《だい》2話《わ》 命《いのち》の代価《だいか》

……!!
「太陽《カミサマ》に近《ちか》づきすぎた英雄《えいゆう》は翼《つばさ》をもがれて地《ち》に墜《お》とされる」…ってな

アル!
アル!
アルフォンス!
どうしたのさ兄《にい》さん
これだ!この理論《りろん》なら完璧《かんぺき》だよ!
これってまさか…
そうだ!母《かあ》さんを生《い》き返《かえ》らせる事《こと》ができる!
生命《せいめい》を創《つく》り出《だ》す事《こと》になんの疑《うたが》いも無《な》かった

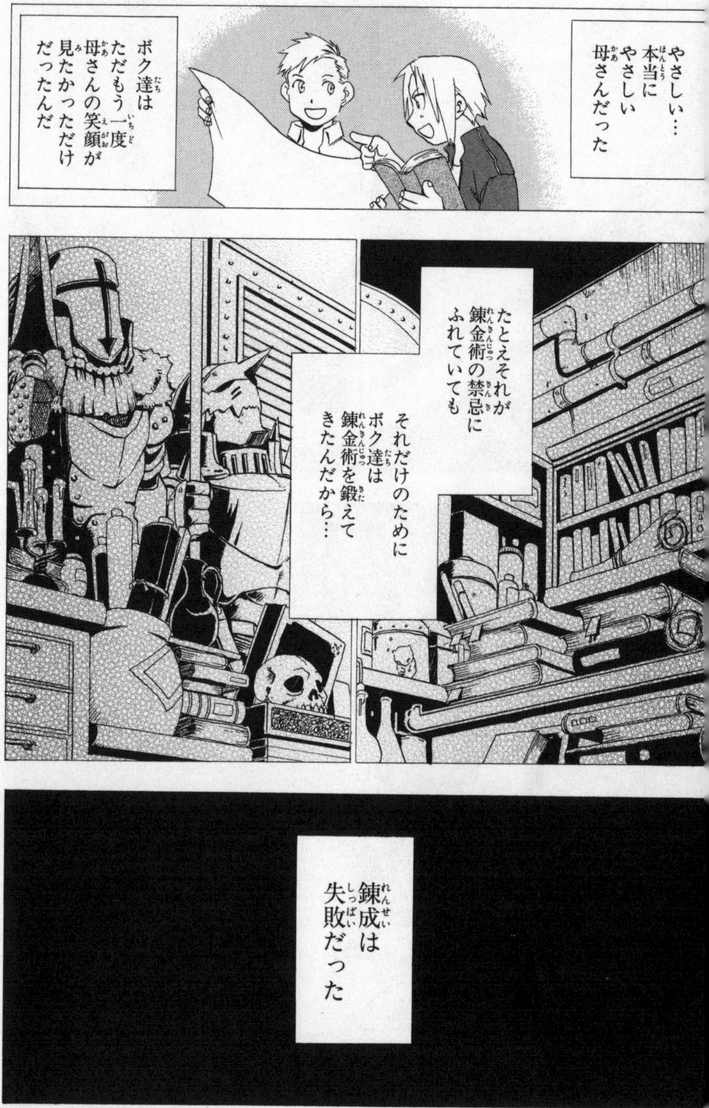
やさしい…本当《ほんとう》にやさしい母《かあ》さんだった
ボク達《たち》はただもう一度《いちど》母《かあ》さんの笑顔《えがお》が見《み》たかっただけだったんだ
たとえそれが錬金術《れんきんじゅつ》の禁忌《きんき》にふれていても
それだけのためにボク達《たち》は錬金術《れんきんじゅつ》を鍛《きた》えてきたんだから…
錬成《れんせい》は失敗《しっぱい》だった

錬成《れんせい》の過程《かてい》で
兄《にい》さんは左足《ひだりあし》を
ボクは
身体《からだ》を全部《ぜんぶ》・・・
持《も》って行《い》かれた
ボクの意識《いしき》は
そこで一度《いちど》
途切《とぎ》れ…
次《つぎ》に目《め》を
開《あ》けた時《とき》に
見《み》たものは
この鎧《よろい》の身体《からだ》と
血《ち》の海《うみ》の中《なか》の——
へへ…ごめんな
右手《みぎて》一本《いっぽん》じゃ
おまえの魂《たましい》しか
錬成《れんせい》できなかったよ
なんて
無茶《むちゃ》を…!!

兄さんは左足《ひだりあし》を失《うしな》ったままの重傷《じゅうしょう》で…
今度《こんど》はボクの魂《たましい》をその右腕《みぎうで》と引《ひ》き替《か》えに錬成《れんせい》してこの鎧《よろい》に定着《ていちゃく》させたんだ
へっ…
二人《ふたり》がかりで一人《ひとり》の人間《にんげん》を甦《よみがえ》らせようとしてこのザマだ…
ロゼ 人《ひと》を甦《よみがえ》らせるってことはこういうことだ
その覚悟《かくご》があるのか？あんたには！
びく

くくく…エドワード・エルリック!!
貴様《きさま》それで国家錬金術師《こっかれんきんじゅつし》とは!!
これが笑《わら》わずにいられるか!?
うっせーんだよ石《いし》が無《な》きゃ何《なに》もできねぇどサンピンが!
なるほどなるほどそれで賢者《けんじゃ》の石《いし》を欲《ほっ》するか
そうだなあこれを使《つか》えば人体錬成《じんたいれんせい》も成功《せいこう》するかもなぁ?
くっくっく
カン違《ちが》いすんなよハゲ!石《いし》が欲《ほ》しいのは元《もと》の身体《からだ》に戻《もど》るためだ
もっとも元《もと》に戻《もど》れるかも・・・だけどな…!
教主《きょうしゅ》さんもう一度《いちど》言《い》う
痛《いた》い目《め》見《み》ないうちに石《いし》をボク達《たち》に渡《わた》してほしい

くく…
神《かみ》に近《ちか》づきすぎ
地《ち》に墜《お》とされた
おろか者《もの》どもめ…
ドゥアアアアア
ならば
この私《わたし》が
今度《こんど》こそ
しっかりと…
神《かみ》の元《もと》へ
送《おく》りとどけて
やろう!!
ガシャ
ドガガガガ

はははははは
は…!?
いや オレって神様《かみさま》に嫌《きら》われてるだろうからさ
行《い》っても追《お》い返《かえ》されると思《おも》うぜ!
ち!!

!?
ばっ
ドッ
この…
きゃーーっ!!!
あだだだだだ
アル! いったん出《で》るぞ!
バカめ!! 出口《でぐち》はこっちで操作《そうさ》せねば開《あ》かぬようになっておる!!

ああ
そうかい!
バシィ
ドン!!
んなあ——
——っっ!!??

出口《でぐち》が無《な》けりゃ作《つく》るまでよ!!
何《なに》をしておる!追《お》え!
だだー〜っ
教団《きょうだん》を陥《おとしい》れる異教徒《いきょうと》だ!!
早《はや》く捕《つか》まえんか!!
こっちだ!
止《と》まれそこの者《もの》!
ほら ボウズ丸腰《まるごし》でこの人数相手《にんずうあいて》にする気《き》かい?
ケガしないうちにおとなしく捕《つか》まり…

だだだだだだ
にこ〜〜
え
ズバ
ドカ
ドカ
ドカ
ひーーっ!!
くっ… 手強《てごわ》いぞ!
子供《こども》だからと いって 油断《ゆだん》するな!

はい
邪魔《じゃま》──
あしげっ
ドッ
ぴゅ～
ひどい……
お？
この部屋《へや》は…
放送室《ほうそうしつ》よ
教主様《きょうしゅさま》が
ラジオで
教義《きょうぎ》をする…
ほほ──う
あ なんか
いやらしい事《こと》
考《かんが》えてる

なんだか今日《きょう》は下《した》がさわがしいな…
――って おい 何《なに》してる! 鐘《かね》の時間《じかん》はとっくに過《す》ぎてるぞ!
鐘《かね》が…
あ?
鐘《かね》が無《な》い
はい?
ド
さっきの話《はなし》だけど まだ信《しん》じられない
そうまでしないと錬成《れんせい》できないなんて…
言《い》ったろ 錬金術《れんきんじゅつ》の基本《きほん》は「等価交換《とうかこうかん》」って

何《なに》かを得《え》ようとするなら それなりの代価《だいか》を 払《はら》わなければいけない
兄《にい》さんも 「天才《てんさい》」だなんて 言《い》われてるけど 「努力《どりょく》」という代価《だいか》を 払《はら》ったからこそ 今《いま》の兄《にい》さんがあるんだ
でも そこまでの 犠牲《ぎせい》を払《はら》った からには お母《かあ》さんは ちゃんと…
人《ひと》の形《かたち》を していなかった

……!!
そんな…なんで!!
兄《にい》さんの理論《りろん》は完璧《かんぺき》だったはずだ!!
ああ
理論上《りろんじょう》では間違《まちが》っちゃいなかった…
間違《まちが》ってたのは
オレ達《たち》だ…
人体錬成《じんたいれんせい》はあきらめたけど
それでも兄《にい》さんはボクの身体《からだ》だけでも元《もと》に戻《もど》そうとしてくれてる
ボクだって兄《にい》さんを元《もと》に戻《もど》してやりたい
でもそのリスクが大《おお》きいのはさっき話《はな》した通《とお》り…
報《むく》いを受《う》け命《いのち》を落《お》とすかもしれない
ボク達《たち》が選《えら》んだのはそういう業《ごう》の道《みち》だ

だからロゼ
君《きみ》はこっちに来《き》ちゃいけない
小僧《こぞお》オォ——もう逃《に》がさんぞ〜〜〜〜〜
ぜはー
ぜはー
ぜー
もうあきらめたら？あんたの嘘《うそ》もどうせすぐ街中《まちじゅう》に広《ひろ》まるぜ？
ぬかせ！教会内《きょうかいない》は私《わたし》の直属《ちょくぞく》の部下《ぶか》だしバカ信者《しんじゃ》どもの情報操作《じょうほうそうさ》などわけもないわ！

やれやれ あんたを 信《しん》じてる人達《ひとたち》も かわいそうな事《こと》だ
信者《しんじゃ》どもなぞ 戦《いくさ》のための駒《こま》だ! ただの駒《こま》に 同情《どうじょう》など不要《ふよう》!!
それになあ 神《かみ》のためだと信《しん》じ 幸福《こうふく》のうちに 死《し》ねるなら 奴《やつ》らも本望《ほんもう》だろうよ!
にやにや
錬金術《れんきんじゅつ》と 奇跡《きせき》の業《わざ》の 区別《くべつ》もつかん 信者《しんじゃ》を量産《りょうさん》して 駒《こま》はいくらでも 補給可能《ほきゅうかのう》!
これしきの事《こと》で 我《わ》が野望《やぼう》を 阻止《そし》できるとでも 思《おも》ったか!!
うわははは
はははは
くっ…
ぶははははは!!
何《なに》!? 何が おかしい!!

だぁーーから
あんたは三流《さんりゅう》だっ
つーんだよ
このハゲ!
くっくっ
小僧《こぞう》!!
まだ言《い》うか!!
これ
なーんだ♪
ON
OFF
ON
ON
OFF
まっ…
ゴビーン

まさか…
貴《き》様《さま》あ——ッ!!!
ビリ
ビリ
ビリ

いつからだ!! そのスイッチ いつから……
最初《さいしょ》から♡ もー全部《ぜんぶ》 だだもれ♡
なっなっなっ… なんて事《こと》を〜〜〜っっ

ぬぐぐぐぐぐく
…このガキ…
ぶち殺《ころ》
ズ
ズ
ズ
遅《おせ》ェよ!!
キン

ガラン
言《い》っただろ?
格《かく》が違《ちが》う
ってよ
私《わたし》は…
私《わたし》は
あきらめん
ぞ………
この石《いし》が
あるかぎり
何度《なんど》でも
奇跡《きせき》の業《わざ》で…
ちっ…

ぱきぃっ
ブシュー
…ぎああああ
う…腕《うで》っ……
私《わたし》の腕《うで》が!!
な……
なんで……
いったい……
あああ
ああ痛
い!

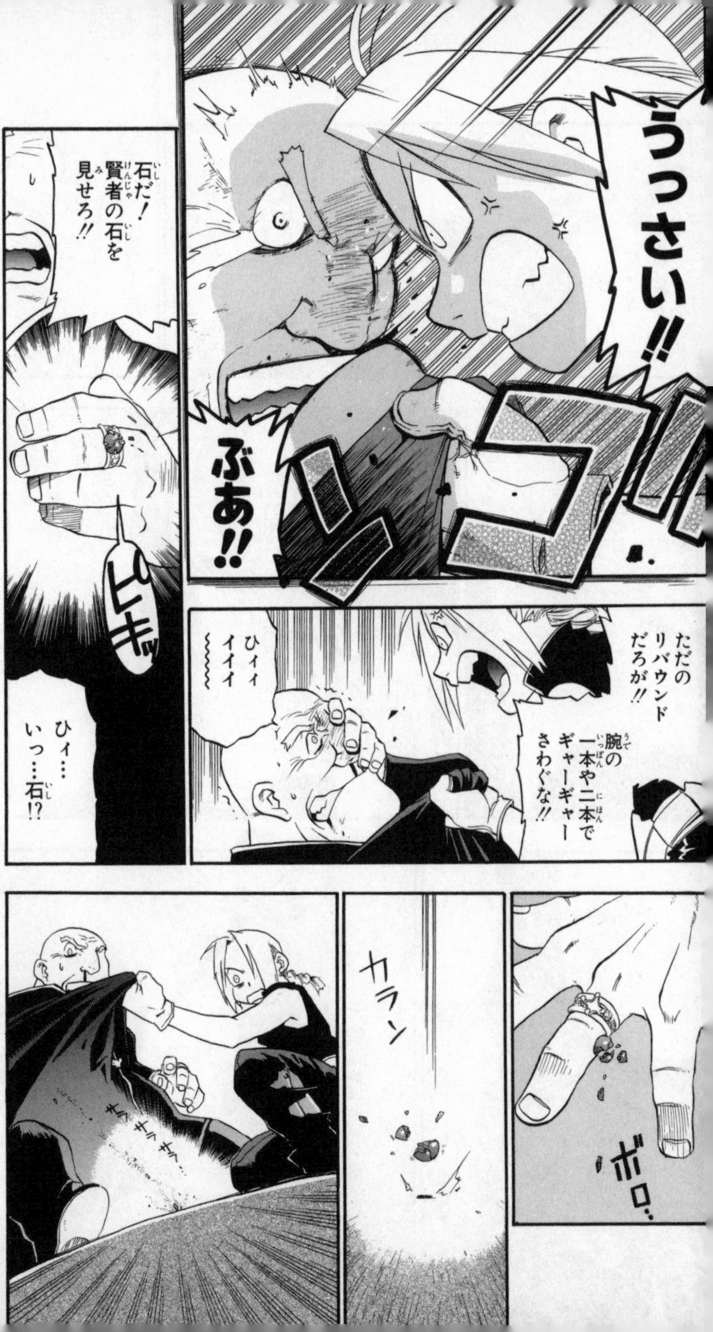

うっさい!!
ぶあ!!
石《いし》だ!賢者《けんじゃ》の石《いし》を見《み》せろ!!
ピキッ
ただのリバウンドだろが!!
腕《うで》の一本《いっぽん》や二本《にほん》でギャーギャーさわぐな!!
ひィィイイイ〜〜〜
ひイ…いっ…石《いし》!?
ボロ…
カラン

壊《こわ》れ……た……
どういう事《こと》だ!「完全《かんぜん》な物質《ぶっしつ》」であるはずの賢者《けんじゃ》の石《いし》がなぜ壊《こわ》れる!?
し 知《し》らん 知《し》らん!! 私《わたし》は何《なに》もきいてない!!
ああぁ たすけてくれ お願《ねが》いだ 私《わたし》が悪《わる》かった〜〜
偽物《にせもの》…?
石《いし》がないと 私《わたし》は何《なに》もできん たすけてくれ エエエ〜〜〜
ここまで来《き》て… やっと戻《もど》れると思《おも》ったのに… 偽物《にせもの》……
ヨロ…
どーーん
くくく… スキあり!!
こうなったら この小僧《こぞう》だけでも ぶち殺《コロ》ス!!
ちゃーーんす

おい おっさん あんたよォ…
どき一ん
はいィ!?
バチッ
街《まち》の人間《にんげん》 だますわ オレ達《たち》を 殺《ころ》そうとするわ
え…?
ズ ズズ ズズズ
お?
しかも さんざ手間《てま》 かけさせやがって そのあげくが 「石《いし》は偽物《にせもの》でした」 だぁ?
ズズ ズズ ズ
ズ ズ
ズ ズ ズ
パキ バキ バキ
うわぁ!!
ズ

パキ
パキ
ぱき
ドガァ
ざけんなよ
コラ!!
ぐらあ
バキ
バキ

神《かみ》の鉄槌《てっつい》くらっとけ!!
…マイガ

ハンパ物《もの》？
ああ とんだムダ足《あし》だ
きゅ
やっと おまえの身体《からだ》を元《もと》に戻《もど》せるかと思《おも》ったのにな…
はー
ボクより兄《にい》さんの方《ほう》が先《さき》だろ 機械鎧《オートメイル》は色々《いろいろ》大変《たいへん》なんだからさぁ
ふー
しょうがない また 次《つぎ》 さがすか…
あーあ
そんな…
うそよ… だって…
生《い》き返《かえ》るって言《い》ったもの…
あきらめな ロゼ 元《もと》から——
…なんて事《こと》してくれたのよ…

これから
あたしは！
何《なに》にすがって
生《い》きていけば
いいのよ！！
教《おし》えてよ！！
ねえ！！
そんな事《こと》
自分《じぶん》で考《かんが》えろ

立《た》って歩《ある》け
前《まえ》へ進《すす》め
あんたには立派《りっぱ》な足《あし》がついてるじゃないか

教主《きょうしゅ》を出《だ》せ!!
どうなってるんだ!
ドン
ドン
ドン
ドン
俺達《おれたち》をだましていたのか!!
開《あ》けろ
説明《せつめい》しろ
はあ
はあ
はあ
……くそ!!
あんな小僧《こぞう》に私《わたし》の野望《やぼう》を…
冗談《じょうだん》じゃないぞ
これまでどれだけの投資《とうし》をしたと…
ほーんとせっかくいいところまでいったのに台無《だいな》しだわ

久《ひさ》しぶりに来《き》てみれば何《なに》この騒《さわ》ぎ
困《こま》った教主様《きょうしゅさま》ねぇ
あ…あんた達《たち》どういう事《こと》だ!!
あんたがくれた賢者《けんじゃ》の石《いし》!壊《こわ》れてしまったじゃないか!!
あんなハンパ物《もの》つかませおって!!
いやぁねあなたみたいなのに本物《ほんもの》渡《わた》すわけないじゃないの

く…
この石《いし》を使《つか》えば 国《くに》を取《と》れると 言《い》ったではないか!!
ん―― そんな事《こと》も 言《い》ったかしら?
こっちとしては この地《ち》でちょっと 混乱《こんらん》を起《お》こして くれるだけで よかったのよね
それとも何《なに》? あなたみたいな 三流《さんりゅう》が 一国《いっこく》の主《あるじ》になれると 本気《ほんき》で 思《おも》ってたワケ?
あはははは!! ほんっと おめでたいわぁ あなた!
ねぇ ラスト このおっさん 食《た》べていい? 食《た》べていい?
だめよ グラトニー こんなの食《た》べたら お腹《なか》こわすわよぉ
ぽいっ

こんな 三流《さんりゅう》… いえ
四流野郎《よんりゅうやろう》 なんか 食《た》べたらね
ぬああああ!! どいつもこいつも 私《わたし》を馬鹿《ばか》に……
ス…
ズガッ

あなた
もう
用《よう》済《ず》みよ

あーあ せっかくここまで 盛《も》り上《あ》がったのに また一《いち》から やり直《なお》しね
ジャッ
お父様《とうさま》に 怒《おこ》られちゃうわ
ビク ビクン
に～♪
さて 次《つぎ》は どんな手《て》を 使《つか》おうか…
ぼり ごきん
おや 食《た》べちゃ いけないったら

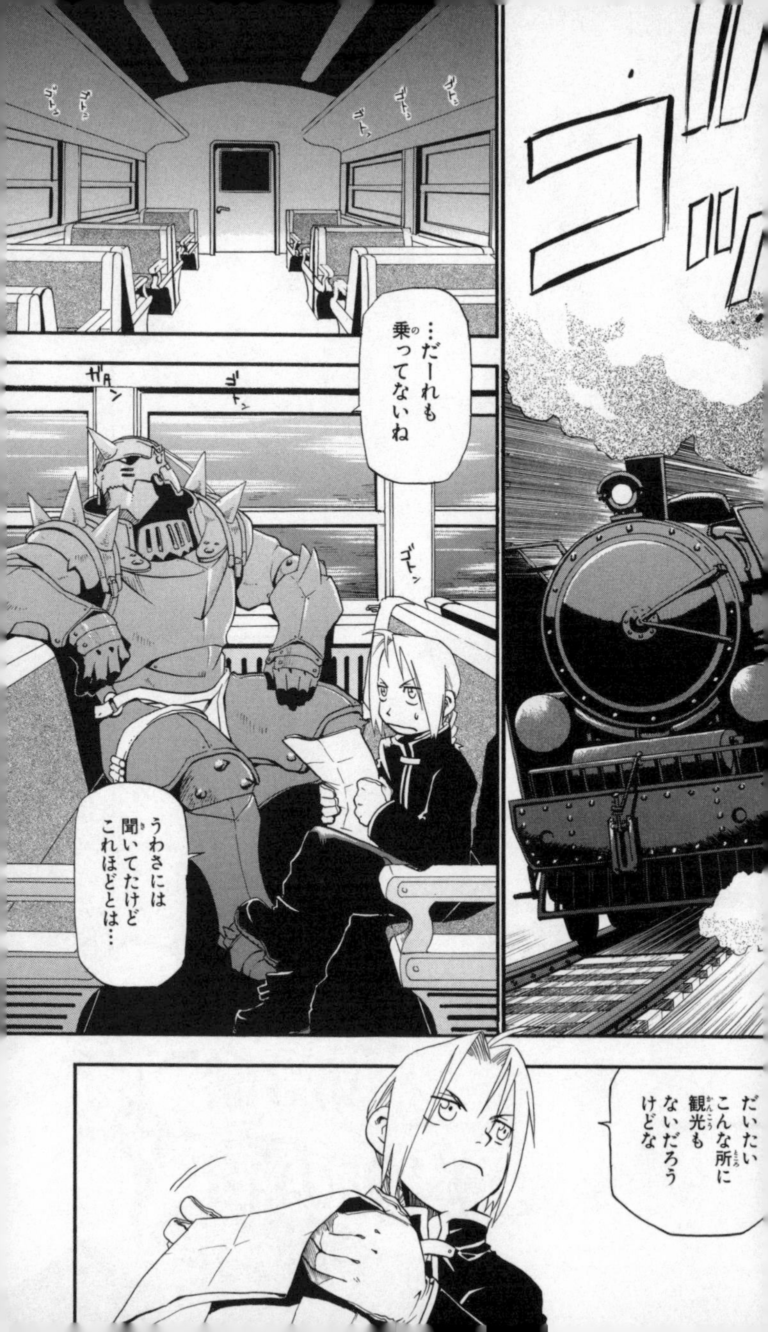
…だーれも乗《の》ってないね
ガタン
ゴトン
ゴトン
うわさには聞《き》いてたけどこれほどとは…
だいたいこんな所《とこ》に観光《かんこう》もないだろうけどな

〝東《ひがし》の終《お》わりの街《まち》〟
EAST
YOUSWELL
ユースウェル炭鉱《たんこう》
第《だい》3話《わ》
炭鉱《たんこう》の街《まち》

ゴウン
ゴウン
ゴウーン
ゴウン
ゴウン
ゴウン
なんか…
炭鉱《たんこう》っていうと
もう少《すこ》し
活気《かっき》ある
もんだと
思《おも》ってたけど…
みなさん
お疲《つか》れっぽい…

ゴン
おっと ごめんよ
いてーな この…
お!!
何《なに》? 観光《かんこう》?
どこから 来《き》たの?
メシは?
宿《やど》は 決《き》まってる?
あ
いや
ちょっと ………
親父《おやじ》! 客《きゃく》だ!
人《ひと》の話《はなし》 聞《き》けよ!!
あー? なんだって カヤル
客《きゃく》! 金《かね》ヅル!
金《かね》ヅル って なんだよ!!
おう!

いや ホコリっぽくて すまねえな
炭鉱《たんこう》の給料《きゅうりょう》が 少《すく》ないんで 店《こっち》と二足《にそく》のワラジ って訳《わけ》よ
何《なに》言《い》ってんでえ 親方《おやかた》！
その少《すく》ない給料《きゅうりょう》を 困《こま》ってる奴《やつ》に すぐ分《わ》けちまう くせによ！
奥《おく》さんも そりゃ 泣《な》くぜ！
うるせぇや!!
文句《もんく》あんなら 酒代《さけだい》のツケ さっさと払《はら》え!!
わはははははは
えーと 一泊二食《いっぱくにしょく》の 二人分《ふたりぶん》ね
いくら？
高《たけ》ぇぞ？
にやり
ご心配《しんぱい》なく けっこう 持《も》ってるから
20万《まん》！
どがー

ぼったくりもいいトコじゃねえかよ!!
ひとケタちがうわい!
だから言《い》ったろ「高《たか》い」って
めったに来《こ》ない観光客《かんこうきゃく》にはしっかり金《かね》を落《お》としてってもらわねえとな
冗談《じょうだん》じゃない!他《ほか》あたる!
逃《に》がすか金《かね》ヅル!!
ガシ
あきらめな兄《にい》ちゃんよそも同《おな》じ値段《ねだん》だよ
ひ〜
……足《た》りん…
こうなったら錬金術《れんきんじゅつ》でこの石《いし》ころを金塊《きんかい》に変《か》えて!
金《きん》の錬成《れんせい》は国家錬金法《こっかれんきんほう》で禁止《きんし》されてるでしょ!
ひそ ひそ ひそ ひそ
バレなきゃいいんだよバレなきゃ
フフフフフ腐
兄《にい》さん悪《あく》!!
親父《おやじ》!この兄《にい》ちゃん錬金術師《れんきんじゅつし》だ!!

わっ!!
おー!!
すげぇ!
新品みてェだ!
いやあ嬉《うれ》しいねぇ! 久《ひさ》しぶりの客《きゃく》が錬金術師《れんきんじゅつし》とは!

俺《おれ》も前《まえ》に
ちょいと
かじってて
な
まぁ俺《おれ》には
才能《さいのう》が無《な》かったんで
研究《けんきゅう》は
やめちまったが
術師《じゅつし》の
よしみで
代金《だいきん》サービス
しとくぜ
ツルハシ直して
もらった分も
差し引いて
やった!
大《おお》まけにまけて
10万《まん》
まだ
高《たか》いよっ!!
そういや
名前《なまえ》きいて
なかったな
あ
そうだっけ
エドワード・
エルリック
さっ
がち

錬金術師《れんきんじゅつし》で
エルリックって
言《い》ったら――
国家《こっか》
錬金術師《れんきんじゅつし》の？
ぴく
……まあ
一応《いちおう》……
さっ

なんなんだよ いったい!
出《で》てけ!
こらー!! オレたちゃ 客《きゃく》だぞ!!
かーーぺぺぺっ!! 軍《ぐん》の犬《いぬ》に くれてやるメシも 寝床《ねどこ》も無《な》いわい!!
あ ボクは 一般人《いっぱんじん》でーす 国家《こっか》なんたらじゃ ありませーん
おおそうか! よし入《はい》れ!
裏切《うらぎ》り者《もの》っ!!
ぐわ!!
なんだよ 久《ひさ》しぶりに 外《そと》の者《もの》が 来《き》たと思《おも》ったら
ドカ
ドカ
ドカ
しらけるなー

えらい嫌《きら》われ様《よう》だね
そりゃそうだよ ここのみんなは軍人《ぐんじん》なんて大《だい》っ嫌《きら》いだもん
ここを統轄《とうかつ》してるヨキ中尉《ちゅうい》ってのが金《かね》の亡者《もうじゃ》でさ もー最悪《さいあく》
なんでも中央《ちゅうおう》の高官《こうかん》にワイロを贈《おく》るのにご執心《しゅうしん》らしいぜ
今《いま》の官位《かんい》も金《かね》で買《か》ったのさ 奴《やつ》ぁ
元《もと》はただの炭鉱経営者《たんこうけいえいしゃ》だったのが出世《しゅっせ》に欲《よく》が出《で》ちまってよ
え？ じゃあ ここって…
そ 炭鉱《ここ》はヨキの個人資産《こじんしさん》って事《こと》
奴《やつ》がここの権利《けんり》を握《にぎ》ってやがって俺達《おれたち》の給料《きゅうりょう》はスズメの涙《なみだ》！
お上《かみ》に文句《もんく》言《い》おうにも奴《やつ》らヨキとワイロでつながってるから握《にぎ》りつぶされ！
な？ 最《さい》っ低《てい》だろ？
そこに国家錬金術師《こっかれんきんじゅつし》ときたもんだ

「錬金術師《れんきんじゅつし》よ大衆《たいしゅう》のためにあれ」
術師《じゅつし》の常識《じょうしき》でありプライドだ
数々《かずかず》の特権《とっけん》と引《ひ》き換《か》えとはいえ軍事国家《ぐんじこっか》に魂《たましい》売《う》るような奴《やつ》ぁ俺《おれ》は許《ゆる》す事《こと》ができん
ぐうううううぅ〜
はらへった……
ぐぎゅ〜
ぐすぐす
ちくしょ〜〜アルの奴《やつ》ぅぅ〜〜
スッ

ボクに
出《だ》されたの
こっそり
持《も》って来《き》た
弟《おとうと》よ!!
ゲンキン
だなも――
ふーん…
腐《くさ》った
おえらいさん
ってのは
どこにでも
いるもんだな
おかげで
充分《じゅうぶん》な食料《しょくりょう》も
まわって来《こ》ないん
だってさ
……そっか

しかしその
ヨキ中尉《ちゅうい》とやらの
おかげで
こっちはえらい
迷惑《めいわく》だよな
ただでさえ
軍《ぐん》の人間《にんげん》てのは
嫌《きら》われてんのに
国家錬金術師《こっかれんきんじゅつし》に
なるって決《き》めた時《とき》から
ある程度《ていど》の非難《ひなん》は
覚悟《かくご》してたけどよ
ここまで
嫌《きら》われちまう
ってのも…
……
ボクも
国家錬金術師《こっかれんきんじゅつし》の
資格《しかく》とろうかな
やめとけ
やめとけ！
針《はり》のムシロに
座《すわ》るのは
オレ一人《ひとり》で充分《じゅうぶん》だ！
軍《ぐん》の犬《いぬ》に
なり下《さ》がり
――か
返《かえ》す言葉《ことば》も
ないけどな

おまけに禁忌《きんき》を犯《おか》してこの身体《からだ》…
師匠《せんせい》が知《し》ったらなんて言《い》うか…
はぁ…
こっ…
殺《ころ》される……!!
ガチガチガチ
ガチガ
どけどけ!!
ドカドカッ

相変《あいか》わらず汚《きたな》い店《みせ》だなホーリング
…これは中尉殿《ちゅういどの》こんなムサ苦《くる》しい所《ところ》へようこそ
あいさつはいい
このところ税金《ぜいきん》を滞納《たいのう》しておるようだな
おまえの所《ところ》に限《かぎ》らずこの街全体《まちぜんたい》に言《い》える事《こと》だが…
カッ
すみませんねどうにも稼《かせ》ぎが少《すく》ないもんで
ふん…そのくせまだ酒《さけ》をたしなむだけの生活《せいかつ》の余裕《よゆう》はあるのか…

という事《こと》は
給料《きゅうりょう》をもう少《すこ》し
下《さ》げてもいい
という事《こと》か？
なっ！
この……!!
ふざけんな!!
べしょ
中尉《ちゅうい》!!
…っのガキ!!
カヤル!!
ドッ
子供《こども》だからとて
容赦《ようしゃ》はせんぞ

みせしめだ
ガ
ギン
!!
ベキン
!?
…ええ!?
ベキンて…

なっ…なんだどこの小僧《こぞう》だ!?
え？え？
ぬ～～
ずずー
うわっ
通《とお》りすがりの小僧《こぞう》です
おまえには関係《かんけい》ない下《さ》がっとれ！
いや中尉《ちゅうい》さんが見《み》えてるってんで
あいさつしとこうかなーと
これがなんだと…
大総統紋章《だいそうとうもんしょう》に六芒星《ろくぼうせい》の銀時計《ぎんどけい》!!
げっ
中尉殿《ちゅういどの》なんですこのガキ…
でっ
ゴン
馬鹿者《ばかもの》!!

国家錬金術師《こっかれんきんじゅつし》を 知《し》らんのか!! 大総統府直轄《だいそうとうふちょっかつ》の 機関《きかん》だぞ!?
マジすか!? あんな ちっこいのが!?
これは チャンスだ…
は?
ここで好印象《こういんしょう》を 与《あた》えておけば 中央《ちゅうおう》にコネを 作《つく》れるかもしれん!
なんか「ちっこい」って きこえたぞ
おお 抜《ぬ》け目《め》 ないですな 中尉殿《ちゅういどの》!
部下《ぶか》が失礼《しつれい》 いたしました
すすす
私《わたし》 この街《まち》を 治《おさ》める ヨキと 申《もう》します
こうして お会《あ》いできたのも 何《なに》かの縁《えん》
ささ こんな汚《きたな》い所《ところ》に おらずに!
田舎街《いなかまち》ですが 立派《りっぱ》な宿泊施設《しゅくはくしせつ》も ございますので!
汚くて 悪かった なー
そんじゃ おねがい しますかねー
ここのおやじさん ケチで 泊《と》めてくれないって 言《い》うんで
むっ!!

いいか貴様《きさま》ら
税金《ぜいきん》は
きっちり払《はら》って
もらうからな！
バタン
また
来《く》るぞ！
ぐわー！
ムカつく!!
どっちが？
両方《りょうほう》!!
ささ
遠慮《えんりょ》せずに
召《め》し上《あ》がって
ください
いいもの
食《た》べて
ますねぇ
街《まち》は
あんな状態《じょうたい》
なのに
いや
おはずかしい
話《はなし》ですが
税《ぜい》の徴収《ちょうしゅう》も
ままならず
困《こま》っておりますよ

おまけに 先程《さきほど》のような 野蛮《やばん》な住民《じゅうみん》も 多《おお》く…
ははは いやまったく おはずかしい
納税《のうぜい》の義務《ぎむ》を おこたっておきながら 権利《けんり》ばかり主張《しゅちょう》する という訳《わけ》ですね
その通《とお》り おお エドワード殿《どの》は 話《はな》がわかる お方《かた》だ
この世《よ》の理《ことわり》は全《すべ》て 錬金術《れんきんじゅつ》の基本《きほん》である 「等価交換《とうかこうかん》」で あらわす事《こと》が できますからね
「義務《ぎむ》」あっての 「権利《けんり》」でしょう
なるほど なるほど
うむ すばらしい
という事《こと》は これも世《よ》の理《ことわり》として 受《う》け取《と》って いただけますかな?

エドワード殿《どの》は国家錬金術師《こっかれんきんじゅつし》だけあって上《うえ》の方《ほう》に顔《かお》がきくと思《おも》われる
ほんの気持《きも》ちですが…
これは…
いわゆる「ワイロ」というやつで?
「気持《きも》ち」ですよ
私《わたし》は一生《いっしょう》をこんな田舎《いなか》の小役人《こやくにん》で終《お》わりたくはないのです
わかっていただけますでしょう?

では ごゆっくり お休《やす》みください
どーも
中尉殿《ちゅういどの》
例《れい》の ホーリングの店《みせ》ですが 毎晩《まいばん》のように 不穏分子《ふおんぶんし》が集《あつ》まって 不平《ふへい》をさわぎたてて いるようです
ふん 奴《やつ》ら 前《まえ》から何《なに》かと 反抗的《はんこうてき》だったな
めんどうだ…
焼《や》き払《はら》え

カン
カン
カン
カン
カン
ひでぇ…
昨日《きのう》の夜《よる》
ヨキの部下《ぶか》が
親方《おやかた》の店《みせ》の周《まわ》りを
うろついてたの
俺《おれ》見《み》たぞ

畜生《ちくしょう》…
汚《きたね》ぇマネしやがる…
……親父《おやじ》が錬金術《れんきんじゅつ》をやってたのはこの街《まち》を救《すく》いたかったからなんだ
なぁエドあんた黄金《おうごん》を錬成《れんせい》できる程《ほど》の実力者《じつりょくしゃ》なんだろ？
ぱっと練成《れんせい》して親父《おやじ》…街《まち》を救《すく》ってくれよ…！
だめだ
そんな…
いいじゃないか減《へ》るもんじゃなし！

錬金術《れんきんじゅつ》の基本《きほん》は「等価交換《とうかこうかん》」!
あんたらに金《かね》をくれてやる義理《ぎり》も義務《ぎむ》もオレにはない
てめえ………
ガッ
てめえ それでも 錬金術師《れんきんじゅつし》か!!
「錬金術師《れんきんじゅつし》よ 大衆《たいしゅう》のために あれ」
……か?

ここでオレが 金《かね》を出《だ》したとしても どうせすぐ税金《ぜいきん》に 持《も》っていかれ 終《お》わりだ
あんたらの その場《ば》しのぎに 使《つか》われちゃ こっちも たまったもん じゃねー
そんなに 困《こま》ってるなら この街《まち》出《で》て ちがう職《しょく》 さがせよ
小僧《こぞう》 おまえにゃ わからん だろうがな
炭鉱《ここ》が 俺達《おれたち》の家《いえ》で
棺桶《かんおけ》よ

兄《にい》さん待《ま》ってよ！
本当にあの人達《ひとたち》放《ほ》っておく気《き》…
アル
このボタ※山《やま》どれくらいあると思《おも》う？
？
1トンか…2トンくらいあるんじゃない？
※石炭《せきたん》以外《いがい》の悪石《あくせき》
よーし今《いま》からちょいと法《ほう》に触《ふ》れる事《こと》するけどおまえ見《み》て見《み》ぬふりしろ
よいしょ～
へ!?
…それって共犯者《きょうはんしゃ》になれって事《こと》？
ダメか？

ダメって言《い》ったってやるんでしょ？
なぁにバレなきゃいいんだよバレなきゃ
やれやれ悪《わる》い兄《あに》を持《も》つと苦労《くろう》する…

………
……あの……
どどん
炭鉱《たんこう》の経営権《けいえいけん》を丸《まる》ごと売《う》ってほしいって言《い》ってるんだけど
すげ…
全部《ぜんぶ》本物《ほんもの》…?
足《た》りませんかねぇ?
めめめ滅相《めっそう》もない!!

これだけあれば
こんな田舎《いなか》に
おさらばして…
政府高官《せいふこうかん》に
ワイロ贈《おく》って
それからそれから
うひひ
それから
……
ちら。
ああ
中尉《ちゅうい》の事《こと》は
上《うえ》の方《ほう》の知人《ちじん》に
きちんと話《はなし》を
通《とお》しておいて
あげましょう
にっこり
錬金術師殿《れんきんじゅつしどの》!!
がし!!
ははは
でも
金《きん》の錬成《れんせい》は
違法《いほう》なので…
バレないように
一応《いちおう》
「経営権《けいえいけん》は無償《むしょう》で
穏便《おんびん》に譲渡《じょうと》した」
っていう念書《ねんしょ》を
書《か》いてもらえると
ありがたいんですけど…
おお
かまいませんとも!
では早速《さっそく》
手続《てつづ》きを…
しかし
錬金術師殿《れんきんじゅつしどの》も
なかなかの
悪《わる》ですのう
ほほほ
ふふふ
いやいや
中尉殿《ちゅういどの》
ほどでは
……
たのしそうだネ

なんでだよ親父《おやじ》!!
ダン!
なんで止《と》める!?
なんでもだ殴《なぐ》り込《こ》みなぞ許《ゆる》さん
親方《おやかた》が止《と》めても俺《おれ》ぁやるぞ
ああもう限界《げんかい》だ
刺《さ》し違《ちが》えてでもヨキのツラに一発《いっぱつ》ぶちこんでやる!
だめだ!皆《みんな》を犯罪者《はんざいしゃ》にする訳《わけ》にはいかん!
だけど…!!

はーい皆《みな》さんシケた顔《かお》ならべてごきげんうるわしゅう♡
…何《なに》しに来《き》たんだよ
あららここの経営者《けいえいしゃ》にむかってその言《い》い草《ぐさ》はないんじゃないの?
てめ何《なに》言《い》っ…
ばっ
……これは…
ここの採掘《さいくつ》・運営《うんえい》・販売《はんばい》その他《た》全商用《ぜんしょうよう》ルートの権利書《けんりしょ》

なんでおめーがこんな物《もの》持《も》って…
あーー!!
名義《めいぎ》がエドワード・エルリックって!?
なにぃ!!?
そう!すなわち今現在《いまげんざい》!
ドン
この炭鉱《たんこう》はオレの物《もの》って事《こと》だ!!
うッそーん!!
…とは言《い》ったもののオレたちゃ旅《たび》から旅《たび》への根無《ねな》し草《ぐさ》
権利書《こんなもの》なんてジャマになるだけで…

…俺達《おれたち》に売《う》りつけようってのか？
いくらで？
にやり✧
高《たか》いよ？
何《なに》かを得《え》ようとするならそれなりの代価《だいか》を払《はら》ってもらわないとね
ぬ…
なんてったって高級羊皮紙《こうきゅうようひし》に金《きん》の箔押《はくお》し
バサ.
べらべら
さらに保管箱《ほかんばこ》は翡翠《ヒスイ》を細《こま》かく砕《くだ》いたものでさりげなくかつ豪華《ごうか》にデザインされてる
べら
べら
うーんこいつは職人技《しょくにんわざ》だね
おっと鍵《かぎ》は純銀製《じゅんぎんせい》ときたもんだ
べら
べら
べら
べら
ま素人目《しろうとめ》の見積《みつ》もりだけどこれ全部《ぜんぶ》ひっくるめて――

親方《おやかた》んトコで一泊《いっぱく》二食《にしょく》二人分《ふたりぶん》の料金《りょうきん》――
てのが妥当《だとう》かな？
あ…等価交換《とうかこうかん》……
はは……
ははははたしかに高《たけ》ぇな!!
よっしゃ買《か》った!!
売《う》った!!
ばん

バン
錬金術師殿《れんきんじゅつしどの》 これはいったい どういう事《こと》か!!
これはこれは 中尉殿《ちゅういどの》 ちょうど今《いま》 権利書《けんりしょ》を ここの親方《おやかた》に 売《う》ったところで
なんですとー!!?
いや それよりも! あなたにいただいた 金塊《きんかい》が全部《ぜんぶ》 石《いし》くれになって おりましたぞ!
どういう事《こと》か 説明《せつめい》してください!
…いつ元《もと》に 戻《もど》したの
さっき 出《で》がけに ちょろっと
金塊《きんかい》なんて 知《し》りませーん♪
とぼけないで いただきたい! 金《きん》の山《やま》と 権利書《けんりしょ》を 引《ひ》き換《か》えたでは ありませんか! これではサギだ!
あれ? 権利書《けんりしょ》は 無償《むしょう》で 譲《ゆず》り受《う》けたん ですけどね
ほら 念書《ねんしょ》も ありますし
はうっ!!?

ぬぐぐ…
この取引《とりひき》は
無効《むこう》だ!
ぬうっ
おまえ達《たち》!
権利書《けんりしょ》を
取《と》り返《かえ》……
せ!?
力《ちから》ずくで
個人《こじん》の資産《しさん》を
取《と》り上《あ》げようなんて
いかんですなぁ
これって
職権乱用《しょっけんらんよう》って
やつか?
う うるさい
どけ
貴様《きさま》ら!
ケガしたく
なかったら
さっさと…
炭鉱《たんこう》マンの体力《たいりょく》
なめてもらっちゃ
困《こま》るよ
中尉殿《ちゅういどの》
ベキ
ゴキ

ドカ
ゴキ
パ――ン
どて
ぼき
ひぃ!!
あ そうだ 中尉《ちゅうい》
びっくう

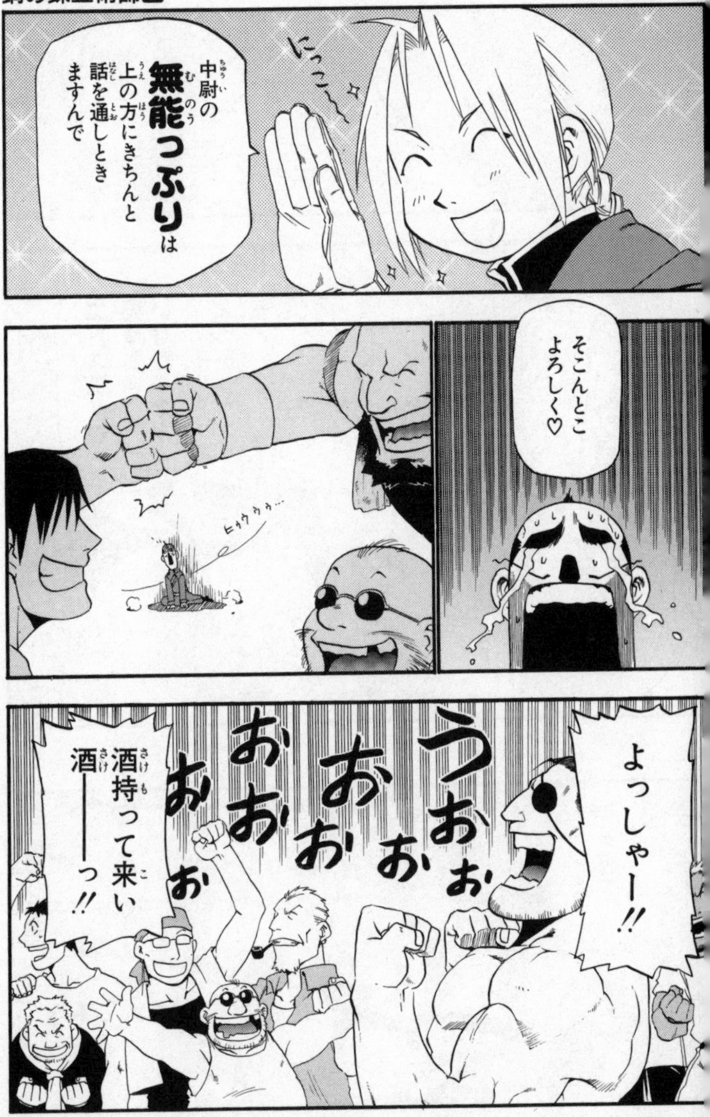
にっこ〜
中尉《ちゅうい》の無能《むのう》っぷりは
上《うえ》の方《ほう》にきちんと
話《はなし》を通《とお》しとき
ますんで
そこんとこよろしく♡
ヒュウゥゥ…
よっしゃー!!
うおおおおおおおお
酒《さけ》持《も》って来《こ》い
酒《さけ》——っ!!

親父《おやじ》…
エドは魂《たましい》まで売《う》っちゃいなかったよ
飲めーっ!!
未成年者に酒飲ますなよ!!
飲まねえと大きくなれんぞー!!
なにい!? 俺がおめー位の年の頃なんてなぁ
ああそうだな
ぐおーーー…
もう食《た》べられない…
ムニャ
プンプン
また おなか出《だ》して寝《ね》て!
だらしないなぁもう!

第《だい》4話《わ》
車《しゃ》上《じょう》の戦《たたか》い
ぐ

ゴオッ
わぁーー!!
お父《とう》さん!速《はや》いねすごいね!
ゴトン
ははは あんまりはしゃぐと疲《つか》れてしまうぞ
ガタン ガタン
むこうに着《つ》いたら父《とう》さんとたくさん遊《あそ》ぶ約束《やくそく》だったろう?
タタン タタン
でも仕事《しごと》の方《ほう》は本当《ほんとう》にいいんですか?
なにやっと取《と》れた休《やす》みだ仕事《しごと》は忘《わす》れて家族《かぞく》サービスしたってバチは当《あ》たらんだろ
ドカ
ガン

ハクロ将軍《しょうぐん》だな？
なんだ君達《きみたち》はいきなり無礼《ぶれい》な…
!!
せっかくの一家団欒《いっかだんらん》をぶち壊《こわ》しちまってすまんね将軍《しょうぐん》
楽《たの》しい家族旅行《かぞくりょこう》は終《お》わりだ

ここからは
スリルと絶望《ぜつぼう》の
家族旅行《かぞくりょこう》と
いこうじゃないか
ゴオオオオオオオオオオ

乗《の》っ取《と》られたのは
ニューオプティン発《はっ》
特急《とっきゅう》〇四八四〇便《びん》
東部過激派《とうぶかげきは》
「青《あお》の団《だん》」による
犯行《はんこう》です

声明《せいめい》は?
気合入《きあいはい》ったのが来《き》てますよ 読《よ》みますか?
いや いい
カッカッカッカッ
どうせ 軍部《われわれ》の悪口《わるぐち》に決《き》まっている
ごもっとも
要求《ようきゅう》は 現在収監中《げんざいしゅうかんちゅう》の 彼《かれ》らの指導者《しどうしゃ》を 解放《かいほう》する事《こと》
ありきたりだな
──で 本当《ほんとう》に 将軍閣下《しょうぐんかっか》は 乗《の》ってるのか?
今《いま》 確認中《かくにんちゅう》ですが おそらく
困《こま》ったな 夕方《ゆうがた》からデートの 約束《やくそく》があったのに
たまには 俺達《おれたち》と 残業《ざんぎょう》デート しましょうやー
まずい茶で
Time table

ここはひとつ将軍閣下《しょうぐんかっか》には尊《とうと》い犠牲《ぎせい》になっていただいてさっさと事件《じけん》を片付《かたづ》ける方向《ほうこう》で…
むう
バカ言《い》わないでくださいよ大佐《たいさ》
乗客名簿《じょうきゃくめいぼ》あがりました
あー本当《ほんとう》に家族《かぞく》で乗《の》ってますねハクロのおっさん
まったく…東部《ここ》の情勢《じょうせい》が不安定《ふあんてい》なのは知《し》ってるだろうにこんな時《とき》にバカンスとは…
ああ諸君《しょくん》今日《きょう》は思《おも》ったより早《はや》く帰《かえ》れそうだ
鋼《はがね》の錬金術師《れんきんじゅつし》が乗《の》っている

ガー
……この状況《じょうきょう》で
よく寝《ね》てられんな
ガキ
ガタン タタン
ガタン タタン
ガタン タタン
おい！
ゴン
すぴ
起《お》きろ
コラ！
……この…

ちっとは人質《ひとじち》らしくしねぇかこの…
チビ!!
くわ!!
お?
ズドゴゴゴゴコ
なんだ文句《もんく》あんのかおう!
ズイ
パン!

バシ
うお!?
!?
なんじゃこりゃあ!!
ぶ!!
ぐキッ
どちゃっ
ああ…

がちゃ
やりやがったな小僧《こぞう》
逆《さか》らう者《もの》がいれば容赦《ようしゃ》するなと言《い》われている
こんなおチビさんを撃《う》つのは気《き》がひけるが……
ぐっ
ぱし
まあまあ二人《ふたり》とも落《お》ちついて
なんだ貴様《きさま》も抵抗《ていこう》する気《き》
めしょっ
か

だぁれえがぁ
ミジンコどチビ
かーーーッ!!!
ボコ
ベコ
ドカ
ギャーーー
そこまで言ってねェーー!!
ぐしゃ
めき
兄《にい》さん兄《にい》さん
それ以上《いじょう》やったら
死《し》んじゃうって
て言《い》うか
こいつら誰《だれ》?
がく
チビって単語《たんご》に
無意識《むいしき》に
反応《はんのう》しただけか…
俺達《おれたち》の他《ほか》に
機関室《きかんしつ》に二人《ふたり》
一等車《いっとうしゃ》には
将軍《しょうぐん》を人質《ひとじち》に4人《にん》
一般客車《いっぱんきゃくしゃ》の人質《ひとじち》は
数《すう》か所《しょ》に集《あつ》めて
4人《にん》で見張《みは》ってる
あとは?
本当《ほんとう》に
これだけだ!!
本当《ほんとう》だって!!

まだ10人《にん》も!?
どうするんだ仲間《なかま》がやられたとわかったら奴《やつ》ら報復《ほうふく》に来《く》るんじゃ…
ふー
やれやれ
誰《だれ》かさんが大人《おとな》しくしてれば穏便《おんびん》にすんだかもしれないのにねぇ
過去《かこ》を悔《く》やんでばかりでは前《まえ》に進《すす》めないぞ弟《おとうと》よ!!
しょうがないオレは上《うえ》からアルは下《した》からでどうだ?
ガタン
ガタン
ガタン
はいはい
ゴオオ
ミオオ
き…君達《きみたち》はいったい何者《なにもの》なんだ?
錬金術師《れんきんじゅつし》だ!!

うおおおお!!
風圧《ふうあつ》!!
風圧《ふうあつ》!!
かっこわるー
不安《ふあん》だ………
ゴオオォ オオオオ
…っと
そんじゃ…
ゴオオオオオオオオ

ダッ
いっちょ行《い》ってみっか！
あれ
おかしいな
後《うし》ろの奴《やつ》ら出《で》ねぇ
ちょっと見《み》て来《く》るわ
おう
ガララ
ゴトン
ガタン ゴトン
…たくよー
定時《ていじ》連絡《れんらく》はちゃんとしろって…

ぬ
うっ…
わああああああああ
ドカラララ
ちょっと待《ま》って…
キン
ギン
キィン
跳弾《ちょうだん》してあぶないよ
…って遅《おそ》いか
ドオ
いいいでエエ〜
〜〜〜〜っっ
おいどうし…

でつ…
ぬ――…
うわああああああ!!
ドパララタタタ
バキンバキン
…って跳弾《ちょうだん》痛《いて》エ――!!!
おじさんたち
バルド
後部車両《こうぶしゃりょう》からの連絡《れんらく》が途絶《とだ》えた
どういう事《こと》だ?
…誰《だれ》か乗《の》ってやがる
バカな!
EMERGEN
護衛《ごえい》は全員《ぜんいん》片付《かたづ》けたし外部《がいぶ》への通信《つうしん》もおさえてある
乗客《じょうきゃく》が助《たす》けを呼《よ》べるはずは…

仲間《なかま》が裏切《うらぎ》りを?
まさか!
ふん しょせんはクズの寄《よ》せ集《あつ》めだな
不測《ふそく》の事態《じたい》が起《お》こるとすぐに崩《くず》れる
そうそう貴様《きさま》らの思《おも》い通《どお》りにはならんという事《こと》だ
今《いま》のうちに降伏《こうふく》する事《こと》を考《かんが》えておけ
下衆《げす》どもめ
チュン
ブシュ
……っ

うあああああああ
ムダ口《ぐち》たたくんじゃねえ
次《つぎ》は尻《しり》の穴《あな》増《ふ》やすぞ
ガシャ

ゴト
ゴン
ゴン
ゴン
ゴン
ドッ
ガガ
ガガガ
カカ
ガガガガン
ン
いってぇ!!
ドタタタタタタタ
ゴン
ネズミだ
上《うえ》を見《み》てこい

うわ
あぶねー
あぶねー!!
ゴゴンゴゴン
ゴゴン
ひゃーー
左足《ひだりあし》じゃなかったらやられてたな
カラン
きしょーー
おぼえてろよ
オオオオオ
まずは機関室奪還《きかんしつだっかん》!!
オオオ

KON NA NI HIROI
ゴウン ゴウン ゴウン ゴウン ゴウン
ヒュ
カン カラ カラ
?
カラ コロ
どこから そんな物《もの》…
ゴォオ オオオオ
鉛弾《なまりだま》？

ばかん
ぶ!!
!!
ヤロ…
ドッ
パッ
うごっ!!?
ゴッ

べこ
どか
べし
このやろ
このやろ
ぎゃああ
あああ
ぐ!!
なんか手伝《てつだ》う事《こと》あるかー？
ゴトンゴトン
安全運転《あんぜんうんてん》よろしく！
ゴトン
ゴトン
ゴトン
ゴトン
よっ…と
いたぜ
ハツカネズミちゃん
ゴオオオオオオオ

ドドン
ドドン
うひゃ!!
あっ……
…ぶねーな
この野郎《やろう》!!
パン
どば!
ゴン
どわーっ!!
こりゃあ!!
汽車《きしゃ》の命《いのち》の
炭水車《たんすいしゃ》に
なんて事《こと》を!!
わ!
ごめん!

ん？
炭水車《たんすいしゃ》…？
COAL
WATER
えど画
ふーん…
ゴンゴー
バルド！ ネズミどころじゃねえ!!
なんかよくわからんがとんでもねー奴《やつ》が上《うえ》に…!!
おい 2号車《ごうしゃ》どうなってる!! おい!!
助《たす》けてくれ でかい鎧《よろい》が…
ギ
鎧《よろい》!? 何《なに》をねぼけて…
EMER
あっ…
ギ
ぎゃああああああああああ
ダダダダダ
ドン
ゴッ

バシン
にゅっ
1
…にゅ?
びく!!
なんだこ…
あーあー
犯行《はんこう》グループのみなさん
機関室《きかんしつ》および後部車両《こうぶしゃりょう》は我々《われわれ》が奪還《だっかん》いたしました
残《のこ》るはこの車両《しゃりょう》のみとなっております
おとなしく人質《ひとじち》を解放《かいほう》し投降《とうこう》するならよし
さもなくば強制排除《きょうせいはいじょ》させていただきますが…

ふざけやがって…何者《なにもの》か知《し》らんが人質《ひとじち》がいる限《かぎ》り我々《われわれ》の敗北《はいぼく》は無《な》い!!
あらら反抗《はんこう》する気《き》満々《まんまん》?
残念《ざんねん》交渉決裂《こうしょうけつれつ》
?水道管《すいどうかん》……?
人質《ひとじち》のみなさんは物陰《ものかげ》に伏《ふ》せてくださいねー
ぐりん
!
逃《に》げ……

ド
ぶお!?

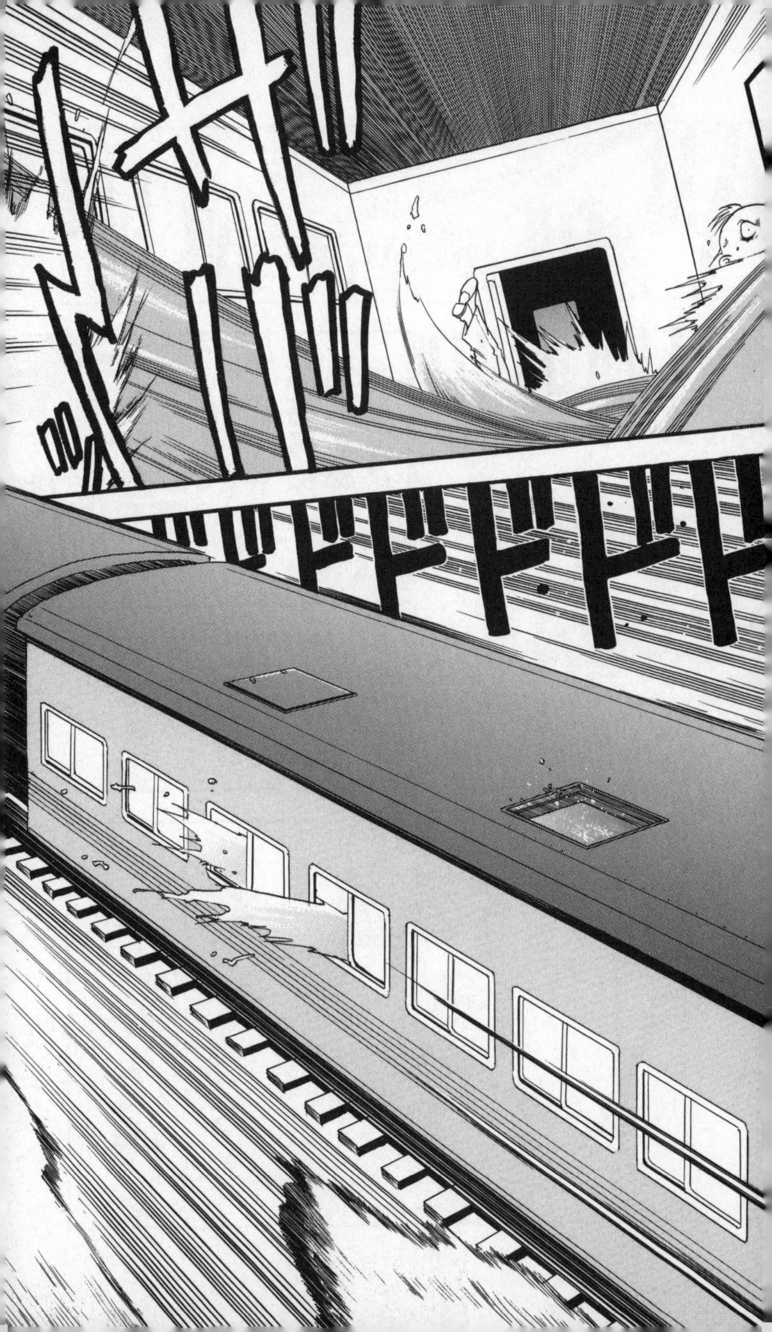
ドドドドド

ぶああああああああああ!!
ガボ
ドドドドド
ザラ

いらっしゃい
ゴン
げっ…
でかい…
鎧《よろい》……
ぬう!!
ガッ
まだだ!!
まだ切《き》り札《ふだ》の
人質《ひとじち》が…

おっ
機械鎧《オートメイル》仲間《なかま》？

こっ…
こんな小僧《こぞう》にィイイイ!!!
ジャキ
ドン
なんだ
安物《やすもの》使《つか》ってんなぁ

や
鋼《はがね》の
あれ 大佐《たいさ》
こんにちは
なんだね その
嫌《いや》そうな顔《かお》は
くあ〜〜〜〜
大佐《たいさ》の管轄《かんかつ》なら
放《ほ》っときゃ
よかった!!
相変《あいか》わらず
つれないねぇ
…っと
ホークアイ
中尉も
こんにちは
アルフォンス君も
こんにちは
まだ元《もと》に
戻《もど》れては
いないんだね

文献《ぶんけん》とか調《しら》べてるけどなかなかね…
昨日も徹夜しちまったしな
ギシ
今《いま》は東部《とうぶ》の街《まち》をシラミつぶしに探《さが》し歩《ある》いてんだけどいい方法《ほうほう》はまだ見《み》つからないな
噂《うわさ》は聞《き》いてるよ
あちこちで色々《いろいろ》とやらかしてるそうじゃないか
さっさと歩け!!
げ
相変《あいか》わらず地獄耳《じごくみみ》だな
君《きみ》の行動《こうどう》がハデなだけだろう
うんうん
うわぁ!!
貴様《きさま》…
ぐあっ!!

ふ
うわ
仕込みナイフ
大佐《たいさ》
お下《さ》がりくだ…
これでいい
おおおおおお!!!
ガ
ぐっ

パキン
ギッ
チ チッ
チ チ チ
!!
ごおあっ!?

があああああ
あああああ
手《て》加《か》減《げん》
しておいた
まだ逆《さか》らうと
いうなら
次《つぎ》はケシ炭《ずみ》に
するが？
カッ

掲載・月刊少年ガンガン平成13年8月号～11月号

ど畜生《ちくしょう》め…
てめえ 何者《なにもの》だ!!
ロイ・マスタング 地位《ちい》は大佐《たいさ》だ
そして もうひとつ

「焔《ほのお》の錬金術師《れんきんじゅつし》」だ
覚《おぼ》えて おきたまえ
鋼の錬金術師1 おわり

うそです。

鋼で錬金術師

鋼の錬金術師

鋼の錬金術師 1
すぺしゃる さんくす～

高枝景水 さん
ひのでや三吉 つぁん
杜康潤 さん
上遠野洋一 アニィ
銀凰恵 さん

金田一蓮十郎 先生

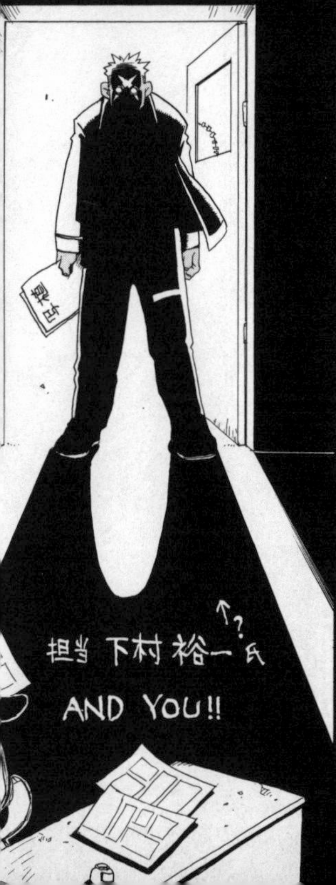

ニーナと
アレキサンダー
どこに行《い》った?
神《かみ》に背《そむ》きし者達《ものたち》の背負《せお》いし
罪《つみ》と罰《ばつ》
……君《きみ》のような
勘《かん》のいいガキは
嫌《きら》いだよ

神《かみ》の使《つか》いか!?
錬金術師《れんきんじゅつし》の前《まえ》に最強《さいきょう》の敵《てき》が立《た》ちはだかる
神《かみ》の道《みち》に背《そむ》きし錬金術師《れんきんじゅつし》
滅《ほろ》ぶべし!!
ゴキン
ベキ

鋼の錬金術師《はがねのれんきんじゅつし》

2002年春《2002ねん・はる》、発売《はつばい》!

HAGANE no RENKI… vol no.2 第《だい》2巻《かん》

鋼《はがね》の錬金術師《れんきんじゅつし》

FULLMETAL ALCHEMIST

月《げっ》刊《かん》少《しょう》年《ねん》ガンガンにて

大好評《だいこうひょう》連載中《れんさいちゅう》!!

ガンガンコミックス

鋼の錬金術師《はがねのれんきんじゅつし》
FULLMETAL ALCHEMIST

鋼の錬金術師 1

2002年2月22日 初版
2005年7月15日 28刷

著　者　　荒川 弘

発行人
田口浩司
発行所
株式会社スクウェア・エニックス

〒151-8544 東京都渋谷区代々木3-22-7 新宿文化クイントビル3階
〈内容についてのお問い合わせ〉 TEL 03(5333)0835
〈販売・営業に関するお問い合わせ〉 TEL 03(5333)0832
FAX 03(5352)6464

印刷所　図書印刷株式会社

Printed in Japan

ISBN4-7575-0620-1 C9979

少年ガンガン 月刊
GANGAN
毎月12日発売!!
鋼の錬金術師
●荒川 弘
好評連載中
劇場版 鋼の錬金術師
シャンバラを征く者
7月23日(土)全国ロードショー
好評連載中
まほらば
●小島あきら
月刊ガンガンWING
ウイング
毎月26日発売!!
月刊Gファンタジー
G Fantasy
毎月18日発売!!
ぱにぽに
●氷川へきる
好評連載中
TVアニメ
ぱにぽにだっしゅ!
絶賛放送中!!
好評連載中
ラゴンクエスト列伝 ロトの紋章
～紋章を継ぐ者達へ～
作画：藤原カムイ 脚本：映島 巡 監修：堀井雄二
ヤングガンガン
GANGAN
毎月第1・第3金曜日発売!!
©2004 SQUARE ENIX CO.,LTD.All Rights Reserved.